$17.00

FRIEDRICH DÜRRENMATT
DIE PHYSIKER

Dürrenmatt

FRIEDRICH DÜRRENMATT

DIE PHYSIKER

EINE KOMÖDIE IN ZWEI AKTEN

IM VERLAG DER ARCHE ZÜRICH

Uraufführung 21. Februar 1962 im Schauspielhaus Zürich
Regie: Kurt Horwitz
Umschlagzeichnung nach einem Entwurf von Friedrich Dürrenmatt

Sämtliche Verlags-, Aufführungs-, Nachdrucks-, Verfilmungs- und Übersetzungsrechte
sowie Verbreitung durch Radio und Television
sind nur durch die nachstehenden Verlage zu erwerben:

WELTVERTRIEB
Theaterverlag Reiß AG, Bruderholzstraße 39, 4053 Basel

VERTRIEB FÜR DEUTSCHLAND
Felix Bloch Erben, Verlag für Bühne, Film und Funk, Hardenbergstraße 6, 1000 Berlin 12

VERTRIEB FÜR ÖSTERREICH
Theaterverlag Eirich GmbH, Lothringerstraße 20, 1030 Wien

BUCHRECHTE
© 1962 by Peter Schifferli, Verlags AG «Die Arche», Zürich
Printed in Switzerland
ISBN 3 7160 1150 9

Zeichnung von Friedrich Dürrenmatt

Fräulein Doktor Mathilde von Zahnd	Irrenärztin
Marta Boll	Oberschwester
Monika Stettler	Krankenschwester
Uwe Sievers	Oberpfleger
McArthur	Pfleger
Murillo	Pfleger
Herbert Georg Beutler, genannt Newton	Patient
Ernst Heinrich Ernesti, genannt Einstein	Patient
Johann Wilhelm Möbius	Patient
Missionar Oskar Rose	
Frau Missionar Lina Rose	
Adolf-Friedrich	
Wilfried-Kaspar	
Jörg-Lukas	ihre Buben
Richard Voß	Kriminalinspektor
Gerichtsmediziner	
Guhl	Polizist
Blocher	Polizist

ORT: SALON EINER BEQUEMEN, WENN AUCH ETWAS
verlotterten ‚Villa‘ des privaten Sanatoriums ‚Les Cerisiers‘. Nähere
Umgebung: Zuerst natürliches, dann verbautes Seeufer, später eine
mittlere, beinahe kleine Stadt. Das einst schmucke Nest mit seinem
Schloß und seiner Altstadt ist nun mit gräßlichen Gebäuden der
Versicherungsgesellschaften verziert und ernährt sich zur Haupt-
sache von einer bescheidenen Universität mit ausgebauter theologi-
scher Fakultät und sommerlichen Sprachkursen, ferner von einer
Handels- und einer Zahntechnikerschule, dann von Töchterpensio-
naten und von einer kaum nennenswerten Leichtindustrie und liegt
somit schon an sich abseits vom Getriebe. Dazu beruhigt überflüssi-
gerweise auch noch die Landschaft die Nerven, jedenfalls sind blaue
Gebirgszüge, human bewaldete Hügel und ein beträchtlicher See vor-
handen sowie eine weite, abends rauchende Ebene in unmittelbarer
Nähe – einst ein düsteres Moor – nun von Kanälen durchzogen und

fruchtbar, mit einer Strafanstalt irgendwo und dazu gehörendem landwirtschaftlichem Großbetrieb, so daß überall schweigsame und schattenhafte Gruppen und Grüppchen von hackenden und umgrabenden Verbrechern sichtbar sind. Doch spielt das Örtliche eigentlich keine Rolle, wird hier nur der Genauigkeit zuliebe erwähnt, verlassen wir doch nie die ‚Villa‘ des Irrenhauses [nun ist das Wort doch gefallen], noch präziser: auch den Salon werden wir nie verlassen, haben wir uns doch vorgenommen, die Einheit von Raum, Zeit und Handlung streng einzuhalten; einer Handlung, die unter Verrückten spielt, kommt nur die klassische Form bei. Doch zur Sache. Was die ‚Villa‘ betrifft, so waren in ihr einst sämtliche Patienten der Gründerin des Unternehmens Fräulein Dr. h. c. Dr. med. Mathilde von Zahnd untergebracht, vertrottelte Aristokraten, arteriosklerotische Politiker – falls sie nicht noch regieren –, debile Millionäre, schizophrene Schriftsteller, manisch-depressive Großindustrielle usw., kurz, die ganze geistig verwirrte Elite des halben Abendlandes, denn das Fräulein Doktor ist berühmt, nicht nur weil die bucklige Jungfer in ihrem ewigen Ärztekittel einer mächtigen autochthonen Familie entstammt, deren letzter nennenswerter Sproß sie ist, sondern auch als Menschenfreund und Psychiater von Ruf, man darf ruhig behaupten: von Weltruf [ihr Briefwechsel mit C. G. Jung ist eben erschienen]. Doch nun sind die prominenten und nicht immer angenehmen Patienten längst in den eleganten, lichten Neubau übergesiedelt, für die horrenden Preise wird auch die bösartigste Vergangenheit ein reines Vergnügen. Der Neubau breitet sich im südlichen Teil des weitläufigen Parks in verschiedenen Pavillons aus [mit Ernis Glasmalereien in der Kapelle] gegen die Ebene zu, während sich von der ‚Villa‘ der mit riesigen Bäumen bestückte Rasen zum See hinunterläßt. Dem Ufer entlang führt eine Steinmauer. Im Salon der nun schwach bevölkerten ‚Villa‘ halten sich meistens drei Patienten auf, zufälligerweise Physiker, oder doch nicht ganz zufälligerweise, man wendet humane Prinzipien an und läßt beisammen, was zusammengehört. Sie leben für sich, jeder eingesponnen in seine eingebildete Welt, nehmen die Mahlzeiten im Salon gemeinsam ein, diskutieren bisweilen über ihre Wissenschaft *oder glotzen still vor sich hin, harmlose, liebenswerte Irre, lenkbar, leicht zu behandeln und anspruchslos. Mit einem Wort, sie gäben wahre Musterpatienten ab, wenn nicht in der letzten Zeit Bedenkliches, ja geradezu Gräßliches vorgekommen wäre: Einer von ihnen erdrosselte vor drei Monaten eine Krankenschwester, und nun hat sich der gleiche Vorfall aufs neue ereignet. So ist denn wieder die Polizei im Hause. Der Salon deshalb mehr als üblich bevölkert. Die Krankenschwester liegt auf dem Parkett, in tragischer und definitiver Stellung, mehr im Hintergrund, um das Publikum nicht unnötig zu erschrecken. Doch ist nicht zu übersehen, daß ein Kampf stattgefunden hat. Die Möbel sind beträchtlich durcheinandergeraten. Eine Stehlampe und zwei Sessel liegen auf dem Boden, und links vorne ist ein runder Tisch umgekippt, in der Weise, daß nun die Tischbeine dem Zuschauer entgegenstarren. Im übrigen hat der Umbau in ein Irrenhaus [die Villa war einst der von Zahndsche Sommersitz] im Salon schmerzliche Spuren hinterlassen. Die Wände sind bis auf Mannshöhe mit hygienischer Lackfarbe überstrichen, dann erst kommt der darunterliegende Gips zum Vorschein, mit zum Teil noch erhaltenen Stukkaturen. Die drei Türen im Hintergrund, die von einer kleinen Halle in die Krankenzimmer der Physiker führen, sind mit schwarzem Leder gepolstert. Außerdem sind sie numeriert eins bis drei. Links neben der Halle ein häßlicher Zentralheizungskörper, rechts ein Lavabo mit Handtüchern an einer Stange. Aus dem Zimmer Nummer zwei [das mittlere Zimmer] dringt Geigenspiel mit Klavierbegleitung. Beethoven. Kreutzersonate. Links befindet sich die Parkfront, die Fenster hoch und bis zum Parkett herunterreichend, das mit Linoleum bedeckt ist. Links und rechts der Fensterfront ein schwerer Vorhang. Die Flügeltüre führt auf eine Terrasse, deren Steingeländer sich vom Park und dem relativ sonnigen Novemberwetter abhebt. Es ist kurz nach halb fünf nachmittags. Rechts über einem nutzlosen Kamin, vor den ein Gitter gestellt ist, hängt das Porträt eines spitzbärtigen alten Mannes in schwerem Goldrahmen. Rechts vorne eine schwere Eichentüre. Von der braunen Kassettendecke schwebt ein schwerer Kronleuchter. Die Möbel: Beim runden*

Tisch stehen – ist der Salon aufgeräumt – drei Stühle: wie der Tisch weiß gestrichen. Die übrigen Möbel leicht zerschlissen, verschiedene Epochen. Rechts vorne ein Sofa mit Tischchen, von zwei Sesseln flankiert. Die Stehlampe gehört eigentlich hinter das Sofa, das Zimmer demnach durchaus nicht überfüllt: Zur Ausstattung einer Bühne, auf der, im Gegensatz zu den Stücken der Alten, das Satyrspiel der Tragödie vorangeht, gehört wenig. Wir können beginnen. Um die Leiche bemühen sich Kriminalbeamte, zivil kostümiert, seelenruhige, gemütliche Burschen, die schon ihre Portion Weißwein konsumiert haben und danach riechen. Sie messen, nehmen Fingerabdrücke usw. In der Mitte des Salons steht Kriminalinspektor Richard Voß, in Hut und Mantel, links Oberschwester Marta Boll, die so resolut aussieht, wie sie heißt und ist. Auf dem Sessel rechts außen sitzt ein Polizist und stenographiert. Der Kriminalinspektor nimmt eine Zigarre aus einem braunen Etui.

INSPEKTOR: Man darf doch rauchen?

OBERSCHWESTER: Es ist nicht üblich.

INSPEKTOR: Pardon.

Er steckt die Zigarre zurück.

OBERSCHWESTER: Eine Tasse Tee?

INSPEKTOR: Lieber Schnaps.

OBERSCHWESTER: Sie befinden sich in einer Heilanstalt.

INSPEKTOR: Dann nichts. Blocher, du kannst photographieren.

BLOCHER: Jawohl, Herr Inspektor.

Man photographiert. Blitzlichter.

INSPEKTOR: Wie hieß die Schwester?

OBERSCHWESTER: Irene Straub.

INSPEKTOR: Alter?

OBERSCHWESTER: Zweiundzwanzig. Aus Kohlwang.

INSPEKTOR: Angehörige?

OBERSCHWESTER: Ein Bruder in der Ostschweiz.

INSPEKTOR: Benachrichtigt?

OBERSCHWESTER: Telephonisch.

INSPEKTOR: Der Mörder?

OBERSCHWESTER: Bitte, Herr Inspektor – der arme Mensch ist doch krank.

INSPEKTOR: Also gut: Der Täter?

OBERSCHWESTER: Ernst Heinrich Ernesti. Wir nennen ihn Einstein.

INSPEKTOR: Warum?

OBERSCHWESTER: Weil er sich für Einstein hält.

INSPEKTOR: Ach so.

Er wendet sich zum stenographierenden Polizisten.

INSPEKTOR: Haben Sie die Aussagen der Oberschwester, Guhl?

GUHL: Jawohl, Herr Inspektor.

INSPEKTOR: Erdrosselt, Doktor?

GERICHTSMEDIZINER: Eindeutig. Mit der Schnur der Stehlampe. Diese Irren entwickeln oft gigantische Kräfte. Es hat etwas Großartiges.

INSPEKTOR: So. Finden Sie. Dann finde ich es unverantwortlich, diese Irren von Schwestern pflegen zu lassen. Das ist nun schon der zweite Mord.

OBERSCHWESTER: Bitte, Herr Inspektor.

INSPEKTOR: – der zweite Unglücksfall innert drei Monaten in der Anstalt Les Cerisiers.

Er zieht ein Notizbuch hervor.

INSPEKTOR: Am zwölften August erdrosselte ein Herbert Georg Beutler, der sich für den großen Physiker Newton hält, die Krankenschwester Dorothea Moser.

Er steckt das Notizbuch wieder ein.

INSPEKTOR: Auch in diesem Salon. Mit Pflegern wäre das nie vorgekommen.

OBERSCHWESTER: Glauben Sie? Schwester Dorothea Moser war Mitglied des Damenringvereins und Schwester Irene Straub Landesmeisterin des nationalen Judoverbandes.

INSPEKTOR: Und Sie?

OBERSCHWESTER: Ich stemme.

INSPEKTOR: Kann ich nun den Mörder –

OBERSCHWESTER: Bitte, Herr Inspektor.

INSPEKTOR: – den Täter sehen?

OBERSCHWESTER: Er geigt.

INSPEKTOR: Was heißt: Er geigt?

OBERSCHWESTER: Sie hören es ja.

INSPEKTOR: Dann soll er bitte aufhören.

Da die Oberschwester nicht reagiert.

INSPEKTOR: Ich habe ihn zu vernehmen.

OBERSCHWESTER: Geht nicht.

INSPEKTOR: Warum geht es nicht?

OBERSCHWESTER: Das können wir ärztlich nicht zulassen. Herr Ernesti muß jetzt geigen.

INSPEKTOR: Der Kerl erdrosselte schließlich eine Krankenschwester!

OBERSCHWESTER: Herr Inspektor. Es handelt sich nicht um einen Kerl, sondern um einen kranken Menschen, der sich beruhigen muß. Und weil er sich für Einstein hält, beruhigt er sich nur, wenn er geigt.

INSPEKTOR: Bin ich eigentlich verrückt?

OBERSCHWESTER: Nein.

INSPEKTOR: Man kommt ganz durcheinander.

Er wischt sich den Schweiß ab.

INSPEKTOR: Heiß hier.

OBERSCHWESTER: Durchaus nicht.

INSPEKTOR: Oberschwester Marta. Holen Sie bitte die Chefärztin.

OBERSCHWESTER: Geht auch nicht. Fräulein Doktor begleitet Einstein auf dem Klavier. Einstein beruhigt sich nur, wenn
Fräulein Doktor ihn begleitet.

INSPEKTOR: Und vor drei Monaten mußte Fräulein Doktor
mit Newton Schach spielen, damit sich der beruhigen konnte.
Darauf gehe ich nicht mehr ein, Oberschwester Marta. Ich
muß die Chefärztin einfach sprechen.

OBERSCHWESTER: Bitte. Dann warten Sie eben.

INSPEKTOR: Wie lange dauert das Gegeige noch?

OBERSCHWESTER: Eine Viertelstunde, eine Stunde. Je nachdem.

Der Inspektor beherrscht sich.

INSPEKTOR: Schön. Ich warte.

Er brüllt.

INSPEKTOR: Ich warte!

BLOCHER: Wir wären fertig, Herr Inspektor.

INSPEKTOR *dumpf:* Und mich macht man fertig.

Stille. Der Inspektor wischt sich den Schweiß ab.

INSPEKTOR: Ihr könnt die Leiche hinausschaffen.

BLOCHER: Jawohl, Herr Inspektor.

OBERSCHWESTER: Ich zeige den Herren den Weg durch den
Park in die Kapelle.

*Sie öffnet die Flügeltüre. Die Leiche wird hinausgetragen. Ebenso
die Instrumente. Der Inspektor nimmt den Hut ab, setzt sich er-
schöpft auf den Sessel links vom Sofa. Immer noch Geigenspiel,
Klavierbegleitung. Da kommt aus Zimmer Nummer 3 Herbert
Georg Beutler in einem Kostüm des beginnenden achtzehnten
Jahrhunderts mit Perücke.*

NEWTON: Sir Isaak Newton.

INSPEKTOR: Kriminalinspektor Richard Voß.

Er bleibt sitzen.

NEWTON: Erfreut. Sehr erfreut. Wirklich. Ich hörte Gepolter,
Stöhnen, Röcheln, dann Menschen kommen und gehen. Darf
ich fragen, was sich hier abspielt?

INSPEKTOR: Schwester Irene Straub wurde erdrosselt.

NEWTON: Die Landesmeisterin des nationalen Judoverbandes?

INSPEKTOR: Die Landesmeisterin.

NEWTON: Schrecklich.

INSPEKTOR: Von Ernst Heinrich Ernesti.

NEWTON: Aber der geigt doch.

INSPEKTOR: Er muß sich beruhigen.

NEWTON: Der Kampf wird ihn auch angestrengt haben. Er ist ja eher schmächtig. Womit hat er – ?

INSPEKTOR: Mit der Schnur der Stehlampe.

NEWTON: Mit der Schnur der Stehlampe. Auch eine Möglichkeit. Dieser Ernesti. Er tut mir leid. Außerordentlich. Und auch die Judomeisterin tut mir leid. Sie gestatten. Ich muß etwas aufräumen.

INSPEKTOR: Bitte. Der Tatbestand ist aufgenommen.

Newton stellt den Tisch, dann die Stühle auf.

NEWTON: Ich ertrage Unordnung nicht. Ich bin eigentlich nur Physiker aus Ordnungsliebe geworden.

Er stellt die Stehlampe auf.

NEWTON: Um die scheinbare Unordnung in der Natur auf eine höhere Ordnung zurückzuführen.

Er zündet sich eine Zigarette an.

NEWTON: Stört es Sie, wenn ich rauche?

INSPEKTOR *freudig:* Im Gegenteil, ich –

Er will sich eine Zigarette aus dem Etui nehmen.

NEWTON: Entschuldigen Sie, doch weil wir gerade von Ordnung gesprochen haben: Hier dürfen nur die Patienten rauchen und nicht die Besucher. Sonst wäre gleich der ganze Salon verpestet.

INSPEKTOR: Verstehe.

Er steckt sein Etui wieder ein.

NEWTON: Stört es Sie, wenn ich ein Gläschen Kognak – ?

INSPEKTOR: Durchaus nicht.

Newton holt hinter dem Kamingitter eine Kognakflasche und ein Glas hervor.

16

NEWTON: Dieser Ernesti. Ich bin ganz durcheinander. Wie kann ein Mensch nur eine Krankenschwester erdrosseln!

Er setzt sich aufs Sofa, schenkt sich Kognak ein.

INSPEKTOR: Dabei haben Sie ja auch eine Krankenschwester erdrosselt.

NEWTON: Ich?

INSPEKTOR: Schwester Dorothea Moser.

NEWTON: Die Ringerin?

INSPEKTOR: Am zwölften August. Mit der Vorhangkordel.

NEWTON: Aber das ist doch etwas ganz anderes, Herr Inspektor. Ich bin schließlich nicht verrückt. Auf Ihr Wohl.

INSPEKTOR: Auf das Ihre.

Newton trinkt.

NEWTON: Schwester Dorothea Moser. Wenn ich so zurückdenke. Strohblond. Ungemein kräftig. Biegsam trotz ihrer Körperfülle. Sie liebte mich, und ich liebte sie. Das Dilemma war nur durch eine Vorhangkordel zu lösen.

INSPEKTOR: Dilemma?

NEWTON: Meine Aufgabe besteht darin, über die Gravitation nachzudenken, nicht ein Weib zu lieben.

INSPEKTOR: Begreife.

NEWTON: Dazu kam noch der enorme Altersunterschied.

INSPEKTOR: Sicher. Sie müssen ja weit über zweihundert Jahre alt sein.

Newton starrt ihn verwundert an.

NEWTON: Wieso?

INSPEKTOR: Nun, als Newton –

NEWTON: Sind Sie nun vertrottelt, Herr Inspektor, oder tun Sie nur so?

INSPEKTOR: Hören Sie –

NEWTON: Sie glauben wirklich, ich sei Newton?

INSPEKTOR: Sie glauben es ja.

Newton schaut sich mißtrauisch um.

NEWTON: Darf ich Ihnen ein Geheimnis anvertrauen, Herr Inspektor?

INSPEKTOR: Selbstverständlich.

NEWTON: Ich bin nicht Sir Isaak. Ich gebe mich nur als Newton aus.

INSPEKTOR: Und weshalb?

NEWTON: Um Ernesti nicht zu verwirren.

INSPEKTOR: Kapiere ich nicht.

NEWTON: Im Gegensatz zu mir ist doch Ernesti wirklich krank. Er bildet sich ein, Albert Einstein zu sein.

INSPEKTOR: Was hat das mit Ihnen zu tun?

NEWTON: Wenn Ernesti nun erführe, daß ich in Wirklichkeit Albert Einstein bin, wäre der Teufel los.

INSPEKTOR: Sie wollen damit sagen –

NEWTON: Jawohl. Der berühmte Physiker und Begründer der Relativitätstheorie bin ich. Geboren am 14. März 1879 in Ulm.

Der Inspektor erhebt sich etwas verwirrt.

INSPEKTOR: Sehr erfreut.

Newton erhebt sich ebenfalls.

NEWTON: Nennen Sie mich einfach Albert.

INSPEKTOR: Und Sie mich Richard.

Sie schütteln sich die Hände.

NEWTON: Ich darf Ihnen versichern, daß ich die Kreutzersonate bei weitem schwungvoller hinunterfiedeln würde als Ernst Heinrich Ernesti eben. Das Andante spielt er doch einfach barbarisch.

INSPEKTOR: Ich verstehe nichts von Musik.

NEWTON: Setzen wir uns.

Er zieht ihn aufs Sofa. Newton legt den Arm um die Schulter des Inspektors.

NEWTON: Richard.

INSPEKTOR: Albert?

NEWTON: Nicht wahr, Sie ärgern sich, mich nicht verhaften zu dürfen?

INSPEKTOR: Aber Albert.

NEWTON: Möchten Sie mich verhaften, weil ich die Krankenschwester erdrosselt oder weil ich die Atombombe ermöglicht habe?

INSPEKTOR: Aber Albert.

NEWTON: Wenn Sie da neben der Türe den Schalter drehen, was geschieht, Richard?

INSPEKTOR: Das Licht geht an.

NEWTON: Sie stellen einen elektrischen Kontakt her. Verstehen Sie etwas von Elektrizität, Richard?

INSPEKTOR: Ich bin kein Physiker.

NEWTON: Ich verstehe auch wenig von ihr. Ich stelle nur auf Grund von Naturbeobachtungen eine Theorie über sie auf. Diese Theorie schreibe ich in der Sprache der Mathematik nieder und erhalte mehrere Formeln. Dann kommen die Techniker. Sie kümmern sich nur noch um die Formeln. Sie gehen mit der Elektrizität um wie der Zuhälter mit der Dirne. Sie nützen sie aus. Sie stellen Maschinen her, und brauchbar ist eine Maschine erst dann, wenn sie von der Erkenntnis unabhängig geworden ist, die zu ihrer Erfindung führte. So vermag heute jeder Esel eine Glühbirne zum Leuchten zu bringen – oder eine Atombombe zur Explosion.

Er klopft dem Inspektor auf die Schulter.

NEWTON: Und nun wollen Sie mich dafür verhaften, Richard. Das ist nicht fair.

INSPEKTOR: Ich will Sie doch gar nicht verhaften, Albert.

NEWTON: Nur weil Sie mich für verrückt halten. Aber warum weigern Sie sich nicht, Licht anzudrehen, wenn Sie von Elektrizität nichts verstehen? Sie sind hier der Kriminelle, Richard. Doch nun muß ich meinen Kognak versorgen, sonst tobt die Oberschwester Marta Boll.

Newton versteckt die Kognakflasche wieder hinter dem Kaminschirm, läßt jedoch das Glas stehen.

NEWTON: Leben Sie wohl.

INSPEKTOR: Leben Sie wohl, Albert.

NEWTON: Sie sollten sich selber verhaften, Richard!

Er verschwindet wieder im Zimmer Nummer 3.

INSPEKTOR: Jetzt rauche ich einfach.

Er nimmt kurzentschlossen eine Zigarre aus einem Etui, zündet sie an, raucht. Durch die Flügeltüre kommt Blocher.

BLOCHER: Wir sind fahrbereit, Herr Inspektor.

Der Inspektor stampft auf den Boden.

INSPEKTOR: Ich warte! Auf die Chefärztin!

BLOCHER: Jawohl, Herr Inspektor.

Der Inspektor beruhigt sich, brummt.

INSPEKTOR: Kehr mit der Mannschaft in die Stadt zurück, Blocher. Ich komme dann nach.

BLOCHER: Zu Befehl, Herr Inspektor.

Blocher ab.

Der Inspektor pafft vor sich hin, erhebt sich, stapft trotzig im Salon herum, bleibt vor dem Porträt über dem Kamin stehen, betrachtet es. Inzwischen hat das Geigen und Klavierspiel aufgehört. Die Türe von Zimmer Nummer 2 öffnet sich, und Fräulein Doktor Mathilde von Zahnd kommt heraus. Bucklig, etwa fünfundfünfzig, weißer Ärztemantel, Stethoskop.

FRL. DOKTOR: Mein Vater, Geheimrat August von Zahnd. Er hauste in dieser Villa, bevor ich sie in ein Sanatorium umwandelte. Ein großer Mann, ein wahrer Mensch. Ich bin sein einziges Kind. Er haßte mich wie die Pest, er haßte überhaupt alle Menschen wie die Pest. Wohl mit Recht, als Wirtschaftsführer taten sich ihm menschliche Abgründe auf, die uns Psychiatern auf ewig verschlossen sind. Wir Irrenärzte bleiben nun einmal hoffnungslos romantische Philanthropen.

INSPEKTOR: Vor drei Monaten hing ein anderes Porträt hier.

FRL. DOKTOR: Mein Onkel, der Politiker. Kanzler Joachim von Zahnd.

Sie legt die Partitur auf das Tischchen vor dem Sofa.

FRL. DOKTOR: So. Ernesti hat sich beruhigt. Er warf sich aufs

Bett und schlief ein. Wie ein glücklicher Bub. Ich kann wieder aufatmen. Ich befürchtete schon, er geige noch die dritte Brahms-Sonate.

Sie setzt sich auf den Sessel links vom Sofa.

INSPEKTOR: Entschuldigen Sie, Fräulein Doktor von Zahnd, daß ich hier verbotenerweise rauche, aber –

FRL. DOKTOR: Rauchen Sie nur ruhig, Inspektor. Ich benötige auch dringend eine Zigarette, Oberschwester Marta hin oder her. Geben Sie mir Feuer.

Er gibt ihr Feuer, sie raucht.

FRL. DOKTOR: Scheußlich. Die arme Schwester Irene. Ein blitzsauberes, junges Ding.

Sie bemerkt das Glas.

FRL. DOKTOR: Newton?

INSPEKTOR: Ich hatte das Vergnügen.

FRL. DOKTOR: Ich räume das Glas besser ab.

Der Inspektor kommt ihr zuvor und stellt das Glas hinter das Kamingitter.

FRL. DOKTOR: Wegen der Oberschwester.

INSPEKTOR: Verstehe.

FRL. DOKTOR: Sie haben sich mit Newton unterhalten?

INSPEKTOR: Ich entdeckte etwas.

Er setzt sich aufs Sofa.

FRL. DOKTOR: Gratuliere.

INSPEKTOR: Newton hält sich in Wirklichkeit auch für Einstein.

FRL. DOKTOR: Das erzählt er jedem. In Wahrheit hält er sich aber doch für Newton.

INSPEKTOR *verblüfft:* Sind Sie sicher?

FRL. DOKTOR: Für wen sich meine Patienten halten, bestimme ich. Ich kenne sie weitaus besser, als sie sich selber kennen.

INSPEKTOR: Möglich. Dann sollten Sie uns aber auch helfen, Fräulein Doktor. Die Regierung reklamiert.

FRL. DOKTOR: Der Staatsanwalt?

INSPEKTOR: Tobt.

FRL. DOKTOR: Wie wenn das meine Sorge wäre, Voß.

INSPEKTOR: Zwei Morde –

FRL. DOKTOR: Bitte, Inspektor.

INSPEKTOR: Zwei Unglücksfälle. In drei Monaten. Sie müssen zugeben, daß die Sicherheitsmaßnahmen in Ihrer Anstalt ungenügend sind.

FRL. DOKTOR: Wie stellen Sie sich denn diese Sicherheitsmaßnahmen vor, Inspektor? Ich leite eine Heilanstalt, nicht ein Zuchthaus. Sie können schließlich die Mörder auch nicht einsperren, bevor sie morden.

INSPEKTOR: Es handelt sich nicht um Mörder, sondern um Verrückte, und die können eben jederzeit morden.

FRL. DOKTOR: Gesunde auch und bedeutend öfters. Wenn ich nur an meinen Großvater Leonidas von Zahnd denke, an den Generalfeldmarschall mit seinem verlorenen Krieg. In welchem Zeitalter leben wir denn? Hat die Medizin Fortschritte gemacht oder nicht? Stehen uns neue Mittel zur Verfügung oder nicht, Drogen, die noch aus den Tobsüchtigsten sanfte Lämmer machen? Sollen wir die Kranken wieder in Einzelzellen sperren, womöglich noch in Netze mit Boxhandschuhen wie früher? Wie wenn wir nicht imstande wären, gefährliche und ungefährliche Patienten zu unterscheiden.

INSPEKTOR: Dieses Unterscheidungsvermögen versagte jedenfalls bei Beutler und Ernesti kraß.

FRL. DOKTOR: Leider. *Das* beunruhigt mich und nicht Ihr tobender Staatsanwalt.

Aus Zimmer Nummer 2 kommt Einstein mit seiner Geige. Hager, schlohweiße lange Haare, Schnurrbart.

EINSTEIN: Ich bin aufgewacht.

FRL. DOKTOR: Aber, Professor.

EINSTEIN: Geigte ich schön?

FRL. DOKTOR: Wundervoll, Professor.

EINSTEIN: Ist Schwester Irene Straub –

FRL. DOKTOR: Denken Sie nicht mehr daran, Professor.

EINSTEIN: Ich gehe wieder schlafen.

FRL. DOKTOR: Das ist lieb, Professor.

Einstein zieht sich wieder auf sein Zimmer zurück. Der Inspektor ist aufgesprungen.

INSPEKTOR: Das war er also!

FRL. DOKTOR: Ernst Heinrich Ernesti.

INSPEKTOR: Der Mörder –

FRL. DOKTOR: Bitte, Inspektor.

INSPEKTOR: Der Täter, der sich für Einstein hält. Wann wurde er eingeliefert?

FRL. DOKTOR: Vor zwei Jahren.

INSPEKTOR: Und Newton?

FRL. DOKTOR: Vor einem Jahr.

FRL. DOKTOR: Beide unheilbar. Voß, ich bin, weiß Gott, in meinem Métier keine Anfängerin, das ist Ihnen bekannt und dem Staatsanwalt auch, er hat meine Gutachten immer geschätzt. Mein Sanatorium ist weltbekannt und entsprechend teuer. Fehler kann ich mir nicht leisten und Vorfälle, die mir die Polizei ins Haus bringen, schon gar nicht. Wenn hier jemand versagte, so ist es die Medizin, nicht ich. Diese Unglücksfälle waren nicht vorauszusehen, ebensogut könnten Sie oder ich Krankenschwestern erdrosseln. Es gibt medizinisch keine Erklärung für das Vorgefallene. Es sei denn –

Sie hat sich eine neue Zigarette genommen. Der Inspektor gibt ihr Feuer.

FRL. DOKTOR: Inspektor. Fällt Ihnen nichts auf?

INSPEKTOR: Inwiefern?

FRL. DOKTOR: Denken Sie an die beiden Kranken.

INSPEKTOR: Nun?

FRL. DOKTOR: Beide sind Physiker. Kernphysiker.

INSPEKTOR: Und?

FRL. DOKTOR: Sie sind wirklich ein Mensch ohne besonderen Argwohn, Inspektor.

Der Inspektor denkt nach.

INSPEKTOR: Fräulein Doktor.

FRL. DOKTOR: Voß?

INSPEKTOR: Sie glauben –?

FRL. DOKTOR: Beide untersuchten radioaktive Stoffe.

INSPEKTOR: Sie vermuten einen Zusammenhang?

FRL. DOKTOR: Ich stelle nur fest, das ist alles. Beide werden wahnsinnig, bei beiden verschlimmert sich die Krankheit, beide werden gemeingefährlich, beide erdrosseln Krankenschwestern.

INSPEKTOR: Sie denken an eine – Veränderung des Gehirns durch Radioaktivität?

FRL. DOKTOR: Ich muß diese Möglichkeit leider ins Auge fassen.

Der Inspektor sieht sich um.

INSPEKTOR: Wohin führt diese Türe?

FRL. DOKTOR: In die Halle, in den grünen Salon, zum oberen Stock.

INSPEKTOR: Wie viele Patienten befinden sich noch hier?

FRL. DOKTOR: Drei.

INSPEKTOR: Nur?

FRL. DOKTOR: Die übrigen wurden gleich nach dem ersten Unglücksfall in das neue Haus übergesiedelt. Ich hatte mir den Neubau zum Glück rechtzeitig leisten können. Reiche Patienten und auch meine Verwandten steuerten bei. Indem sie ausstarben. Meistens hier. Ich war dann Alleinerbin. Schicksal, Voß. Ich bin immer Alleinerbin. Meine Familie ist so alt, daß es beinahe einem kleinen medizinischen Wunder gleichkommt, wenn ich für relativ normal gelten darf, ich meine, was meinen Geisteszustand betrifft.

Der Inspektor überlegt.

INSPEKTOR: Der dritte Patient?

FRL. DOKTOR: Ebenfalls ein Physiker.

INSPEKTOR: Merkwürdig. Finden Sie nicht?

FRL. DOKTOR: Finde ich gar nicht. Ich sortiere. Die Schriftsteller zu den Schriftstellern, die Großindustriellen zu den

Großindustriellen, die Millionärinnen zu den Millionärinnen und die Physiker zu den Physikern.

INSPEKTOR: Name?

FRL. DOKTOR: Johann Wilhelm Möbius.

INSPEKTOR: Hatte auch er mit Radioaktivität zu tun?

FRL. DOKTOR: Nichts.

INSPEKTOR: Könnte auch er –?

FRL. DOKTOR: Er ist seit fünfzehn Jahren hier, harmlos, und sein Zustand blieb unverändert.

INSPEKTOR: Fräulein Doktor. Sie kommen nicht darum herum. Der Staatsanwalt verlangt für Ihre Physiker kategorisch Pfleger.

FRL. DOKTOR: Er soll sie haben.

Der Inspektor greift nach seinem Hut.

INSPEKTOR: Schön, es freut mich, daß Sie das einsehen. Ich war nun zweimal in Les Cerisiers, Fräulein Doktor von Zahnd. Ich hoffe nicht, noch einmal aufzutauchen.

Er setzt sich den Hut auf und geht links durch die Flügeltüre auf die Terrasse und entfernt sich durch den Park. Fräulein Doktor Mathilde von Zahnd sieht ihm nachdenklich nach. Von rechts kommt die Oberschwester Marta Boll, stutzt, schnuppert. In der Hand ein Dossier.

OBERSCHWESTER: Bitte, Fräulein Doktor –

FRL. DOKTOR: Oh. Entschuldigen Sie.

Sie drückt die Zigarette aus.

FRL. DOKTOR: Ist Schwester Irene Straub aufgebahrt?

OBERSCHWESTER: Unter der Orgel.

FRL. DOKTOR: Stellt Kerzen um sie und Kränze.

OBERSCHWESTER: Ich habe dem Blumen-Feuz schon angeläutet.

FRL. DOKTOR: Wie geht es meiner Tante Senta?

OBERSCHWESTER: Unruhig.

FRL. DOKTOR: Dosis verdoppeln. Dem Vetter Ulrich?

OBERSCHWESTER: Stationär.

FRL. DOKTOR: Oberschwester Marta Boll: Ich muß mit einer Tradition von Les Cerisiers leider Schluß machen. Ich habe bis jetzt nur Krankenschwestern angestellt, morgen übernehmen Pfleger die Villa.

OBERSCHWESTER: Fräulein Doktor Mathilde von Zahnd: Ich lasse mir meine drei Physiker nicht rauben. Sie sind meine interessantesten Fälle.

FRL. DOKTOR: Mein Entschluß ist endgültig.

OBERSCHWESTER: Ich bin nur neugierig, woher Sie die Pfleger nehmen. Bei der heutigen Überbeschäftigung.

FRL. DOKTOR: Das lassen Sie meine Sorge sein. Ist die Möbius gekommen?

OBERSCHWESTER: Sie wartet im grünen Salon.

FRL. DOKTOR: Ich lasse bitten.

OBERSCHWESTER: Die Krankheitsgeschichte Möbius.

FRL. DOKTOR: Danke.

Die Oberschwester übergibt ihr das Dossier, geht dann zur Türe rechts hinaus, kehrt sich jedoch vorher noch einmal um.

OBERSCHWESTER: Aber –

FRL. DOKTOR: Bitte, Oberschwester Marta, bitte.

Oberschwester ab. Frl. Doktor von Zahnd öffnet das Dossier, studiert es am runden Tisch. Von rechts führt die Oberschwester Frau Rose sowie drei Knaben von vierzehn, fünfzehn und sechzehn Jahren herein. Der älteste trägt eine Mappe. Den Schluß bildet Missionar Rose. Frl. Doktor erhebt sich.

FRL. DOKTOR: Meine liebe Frau Möbius –

FRAU ROSE: Rose. Frau Missionar Rose. Ich muß Sie ganz grausam überraschen, Fräulein Doktor, aber ich habe vor drei Wochen Missionar Rose geheiratet. Vielleicht etwas eilig, wir lernten uns im September an einer Tagung kennen.

Sie errötet und weist etwas unbeholfen auf ihren neuen Mann.

FRAU ROSE: Oskar war Witwer.

Frl. Doktor schüttelt ihr die Hand.

FRL. DOKTOR: Gratuliere, Frau Rose, gratuliere von ganzem Herzen. Und auch Ihnen, Herr Missionar, alles Gute.

Sie nickt ihm zu.

FRAU ROSE: Sie verstehen unseren Schritt?

FRL. DOKTOR: Aber natürlich, Frau Rose. Das Leben hat weiterzublühen.

MISSIONAR ROSE: Wie still es hier ist! Wie freundlich. Ein wahrer Gottesfriede waltet in diesem Hause, so recht nach dem Psalmwort: Denn der Herr hört die Armen und verachtet seine Gefangenen nicht.

FRAU ROSE: Oskar ist nämlich ein guter Prediger, Fräulein Doktor.

Sie errötet.

FRAU ROSE: Meine Buben.

FRL. DOKTOR: Grüß Gott, ihr Buben.

DIE DREI BUBEN: Grüß Gott, Fräulein Doktor.

Der jüngste hat etwas vom Boden aufgenommen.

JÖRG-LUKAS: Eine Lampenschnur, Fräulein Doktor. Sie lag auf dem Boden.

FRL. DOKTOR: Danke, mein Junge. Prächtige Buben, Frau Rose. Sie dürfen mit Vertrauen in die Zukunft blicken.

Frau Missionar Rose setzt sich aufs Sofa rechts, Frl. Doktor an den Tisch links. Hinter dem Sofa die drei Buben, auf dem Sessel rechts außen Missionar Rose.

FRAU ROSE: Fräulein Doktor, ich bringe meine Buben nicht grundlos mit. Oskar übernimmt eine Missionsstation auf den Marianen.

MISSIONAR ROSE: Im Stillen Ozean.

FRAU ROSE: Und ich halte es für schicklich, wenn meine Buben vor der Abreise ihren Vater kennenlernen. Zum ersten und letzten Mal. Sie waren ja noch klein, als er krank wurde, und nun heißt es vielleicht Abschied für immer zu nehmen.

FRL. DOKTOR: Frau Rose, vom ärztlichen Standpunkte aus mögen sich zwar einige Bedenken melden, aber menschlich finde ich Ihren Wunsch begreiflich und gebe die Bewilligung zu diesem Familientreffen gern.

FRAU ROSE: Wie geht es meinem Johann Wilhelmlein?

Frl. Doktor blättert im Dossier.

FRL. DOKTOR: Unser guter Möbius macht weder Fort- noch Rückschritte, Frau Rose. Er puppt sich in seine Welt ein.

FRAU ROSE: Behauptet er immer noch, daß ihm der König Salomo erscheine?

FRL. DOKTOR: Immer noch.

MISSIONAR ROSE: Eine traurige, beklagenswerte Verirrung.

FRL. DOKTOR: Ihr strammes Urteil erstaunt mich ein wenig, Herr Missionar Rose. Als Theologe müssen Sie doch immerhin mit der Möglichkeit eines Wunders rechnen.

MISSIONAR ROSE: Selbstverständlich – aber doch nicht bei einem Geisteskranken.

FRL. DOKTOR: Ob die Erscheinungen, welche die Geisteskranken wahrnehmen, wirklich sind oder nicht, darüber hat die Psychiatrie, mein lieber Missionar Rose, nicht zu urteilen. Sie hat sich ausschließlich um den Zustand des Gemüts und der Nerven zu kümmern, und da steht's bei unserem braven Möbius traurig genug, wenn auch die Krankheit einen milden Verlauf nimmt. Helfen? Mein Gott! Eine Insulinkur wäre wieder einmal fällig gewesen, gebe ich zu, doch weil die anderen Kuren erfolglos verlaufen sind, ließ ich sie bleiben. Ich kann leider nicht zaubern, Frau Rose, und unseren braven Möbius gesund päppeln, aber quälen will ich ihn auch nicht.

FRAU ROSE: Weiß er, daß ich mich – ich meine, weiß er von der Scheidung?

FRL. DOKTOR: Er ist informiert.

FRAU ROSE: Begriff er?

FRL. DOKTOR: Er interessiert sich kaum mehr für die Außenwelt.

FRAU ROSE: Fräulein Doktor. Verstehen Sie mich recht. Ich bin fünf Jahre älter als Johann Wilhelm. Ich lernte ihn als fünfzehnjährigen Gymnasiasten im Hause meines Vaters kennen, wo er eine Mansarde gemietet hatte. Er war ein Waisenbub und bitter arm. Ich ermöglichte ihm das Abitur und später das Studium der Physik. An seinem zwanzigsten Geburtstag haben wir geheiratet. Gegen den Willen meiner Eltern. Wir arbeiteten Tag und Nacht. Er schrieb seine Dissertation, und ich übernahm eine Stelle in einem Transportgeschäft. Vier Jahre später kam Adolf-Friedrich, unser Ältester, und dann die beiden andern Buben. Endlich stand eine Professur in Aussicht, wir glaubten aufatmen zu dürfen, da wurde Johann Wilhelm krank, und sein Leiden verschlang Unsummen. Ich trat in eine Schokoladefabrik ein, meine Familie durchzubringen. Bei Tobler.

Sie wischt sich still eine Träne ab.

FRAU ROSE: Ein Leben lang mühte ich mich ab.

Alle sind ergriffen.

FRL. DOKTOR: Frau Rose, Sie sind eine mutige Frau.

MISSIONAR ROSE: Und eine gute Mutter.

FRAU ROSE: Fräulein Doktor. Ich habe bis jetzt Johann Wilhelm den Aufenthalt in Ihrer Anstalt ermöglicht. Die Kosten gingen weit über meine Mittel, aber Gott half immer wieder. Doch nun bin ich finanziell erschöpft. Ich bringe das zusätzliche Geld nicht mehr auf.

FRL. DOKTOR: Begreiflich, Frau Rose.

FRAU ROSE: Ich fürchte, Sie glauben nun, ich hätte Oskar nur geheiratet, um nicht mehr für Johann Wilhelm aufkommen zu müssen, Fräulein Doktor. Aber das stimmt nicht. Ich habe es jetzt noch schwerer. Oskar bringt sechs Buben in die Ehe mit.

FRL. DOKTOR: Sechs?

MISSIONAR ROSE: Sechs.

FRAU ROSE: Sechs. Oskar ist ein leidenschaftlicher Vater. Doch nun sind neun Kinder zu füttern, und Oskar ist durchaus nicht robust, seine Besoldung kärglich.

Sie weint.

FRL. DOKTOR: Nicht doch, Frau Rose, nicht doch. Keine Tränen.

FRAU ROSE: Ich mache mir die heftigsten Vorwürfe, mein armes Johann Wilhelmlein im Stich gelassen zu haben.

FRL. DOKTOR: Frau Rose! Sie brauchen sich nicht zu grämen.

FRAU ROSE: Johann Wilhelmlein wird jetzt sicher in einer staatlichen Heilanstalt interniert.

FRL. DOKTOR: Aber nein, Frau Rose. Unser braver Möbius bleibt hier in der Villa. Ehrenwort. Er hat sich eingelebt und liebe, nette Kollegen gefunden. Ich bin schließlich kein Unmensch.

FRAU ROSE: Sie sind so gut zu mir, Fräulein Doktor.

FRL. DOKTOR: Gar nicht, Frau Rose, gar nicht. Es gibt nur Stiftungen. Der Oppelfonds für kranke Wissenschafter, die Doktor-Steinemann-Stiftung. Geld liegt wie Heu herum, und es ist meine Pflicht als Ärztin, Ihrem Johann Wilhelmlein davon etwas zuzuschaufeln. Sie sollen mit einem guten Gewissen nach den Marianen dampfen dürfen. Aber nun wollen wir doch unseren guten Möbius mal herholen.

Sie geht nach dem Hintergrund und öffnet Türe Nummer 1. Frau Rose erhebt sich aufgeregt.

FRL. DOKTOR: Lieber Möbius. Sie erhielten Besuch. Verlassen Sie Ihre Physikerklause und kommen Sie.

Aus dem Zimmer Nummer 1 kommt Johann Wilhelm Möbius, ein vierzigjähriger, etwas unbeholfener Mensch. Er schaut sich unsicher im Zimmer um, betrachtet Frau Rose, dann die Buben, endlich Herrn Missionar Rose, scheint nichts zu begreifen, schweigt.

FRAU ROSE: Johann Wilhelm.

DIE BUBEN: Papi.

Möbius schweigt.

FRL. DOKTOR: Mein braver Möbius, Sie erkennen mir doch noch Ihre Gattin wieder, hoffe ich.

Möbius starrt Frau Rose an.

MÖBIUS: Lina?

FRL. DOKTOR: Es dämmert, Möbius. Natürlich ist es Ihre Lina.

MÖBIUS: Grüß dich, Lina.

FRAU ROSE: Johann Wilhelmlein, mein liebes, liebes Johann Wilhelmlein.

FRL. DOKTOR: So. Es wäre geschafft. Frau Rose, Herr Missionar, wenn Sie mich noch zu sprechen wünschen, stehe ich drüben im Neubau zur Verfügung.

Sie geht durch die Flügeltüre links ab.

FRAU ROSE: Deine Buben, Johann Wilhelm.

Möbius stutzt.

MÖBIUS: Drei?

FRAU ROSE: Aber natürlich, Johann Wilhelm. Drei.

Sie stellt ihm die Buben vor.

FRAU ROSE: Adolf-Friedrich, dein Ältester.

Möbius schüttelt ihm die Hand.

MÖBIUS: Freut mich, Adolf-Friedrich, mein Ältester.

ADOLF-FRIEDRICH: Grüß dich, Papi.

MÖBIUS: Wie alt bist du denn, Adolf-Friedrich?

ADOLF-FRIEDRICH: Sechzehn, Papi.

MÖBIUS: Was willst du werden?

ADOLF-FRIEDRICH: Pfarrer, Papi.

MÖBIUS: Ich erinnere mich. Ich führte dich einmal an der Hand über den Sankt-Josephs-Platz. Die Sonne schien grell, und die Schatten waren wie abgezirkelt.

Möbius wendet sich zum nächsten.

MÖBIUS: Und du – du bist?

WILFRIED-KASPAR: Ich heiße Wilfried-Kaspar, Papi.

MÖBIUS: Vierzehn?

WILFRIED-KASPAR: Fünfzehn. Ich möchte Philosophie studieren.

MÖBIUS: Philosophie?

FRAU ROSE: Ein besonders frühreifes Kind.

WILFRIED-KASPAR: Ich habe Schopenhauer und Nietzsche gelesen.

FRAU ROSE: Dein Jüngster, Jörg-Lukas. Vierzehnjährig.

JÖRG-LUKAS: Grüß dich, Papi.

MÖBIUS: Grüß dich, Jörg-Lukas, mein Jüngster.

FRAU ROSE: Er gleicht dir am meisten.

JÖRG-LUKAS: Ich will ein Physiker werden, Papi.

Möbius starrt seinen Jüngsten erschrocken an.

MÖBIUS: Physiker?

JÖRG-LUKAS: Jawohl, Papi.

MÖBIUS: Das darfst du nicht, Jörg-Lukas. Keinesfalls. Das schlage dir aus dem Kopf. Ich – ich verbiete es dir.

Jörg-Lukas ist verwirrt.

JÖRG-LUKAS: Aber du bist doch auch ein Physiker geworden, Papi –

MÖBIUS: Ich hätte es nie werden dürfen, Jörg-Lukas. Nie. Ich wäre jetzt nicht im Irrenhaus.

FRAU ROSE: Aber Johann Wilhelm, das ist doch ein Irrtum. Du bist in einem Sanatorium, nicht in einem Irrenhaus. Deine Nerven sind einfach angegriffen, das ist alles.

Möbius schüttelt den Kopf.

MÖBIUS: Nein, Lina. Man hält mich für verrückt. Alle. Auch du. Und auch meine Buben. Weil mir der König Salomo erscheint.

Alle schweigen verlegen. Frau Rose stellt Missionar Rose vor.

FRAU ROSE: Hier stelle ich dir Oskar Rose vor, Johann Wilhelm. Meinen Mann. Er ist Missionar.

MÖBIUS: Dein Mann? Aber ich bin doch dein Mann.

FRAU ROSE: Nicht mehr, Johann Wilhelmlein.

Sie errötet.

FRAU ROSE: Wir sind doch geschieden.

MÖBIUS: Geschieden?

FRAU ROSE: Das weißt du doch.

MÖBIUS: Nein.

FRAU ROSE: Fräulein Doktor von Zahnd teilte es dir mit. Ganz bestimmt.

MÖBIUS: Möglich.

FRAU ROSE: Und dann heiratete ich eben Oskar. Er hat sechs Buben. Er war Pfarrer in Guttannen und hat nun eine Stelle auf den Marianen angenommen.

MÖBIUS: Auf den Marianen?

MISSIONAR ROSE: Im Stillen Ozean.

FRAU ROSE: Wir schiffen uns übermorgen in Bremen ein.

MÖBIUS: Ach so.

Er starrt Missionar Rose an. Alle sind verlegen.

FRAU ROSE: Ja. So ist es eben.

Möbius nickt Missionar Rose zu.

MÖBIUS: Es freut mich, den neuen Vater meiner Buben kennenzulernen, Herr Missionar.

MISSIONAR ROSE: Ich habe sie fest in mein Herz geschlossen, Herr Möbius, alle drei. Gott wird uns helfen, nach dem Psalmwort: Der Herr ist mein Hirte, mir wird nichts mangeln.

FRAU ROSE: Oskar kennt alle Psalmen auswendig. Die Psalmen Davids, die Psalmen Salomos.

MÖBIUS: Ich bin froh, daß die Buben einen tüchtigen Vater gefunden haben. Ich bin ein ungenügender Vater gewesen.

Die drei Buben protestieren.

DIE BUBEN: Aber nein, Papi.

MÖBIUS: Und auch Lina hat einen würdigeren Gatten gefunden.

FRAU ROSE: Aber Johann Wilhelmlein.

MÖBIUS: Ich gratuliere von ganzem Herzen.

FRAU ROSE: Wir müssen bald aufbrechen.

MÖBIUS: Nach den Marianen.

FRAU ROSE: Abschied voneinander nehmen.

MÖBIUS: Für immer.

FRAU ROSE: Deine Buben sind bemerkenswert musikalisch, Johann Wilhelm. Sie spielen sehr begabt Blockflöte. Spielt eurem Papi zum Abschied etwas vor, Buben.

DIE BUBEN: Jawohl, Mami.

Adolf-Friedrich öffnet die Mappe, verteilt die Blockflöten.

FRAU ROSE: Nimm Platz, Johann Wilhelmlein.

Möbius nimmt am runden Tisch Platz. Frau Rose und Missionar
Rose setzen sich aufs Sofa. Die Buben stellen sich in der Mitte des
Salons auf.

JÖRG-LUKAS : Etwas von Buxtehude.

ADOLF-FRIEDRICH : Eins, zwei, drei.

Die Buben spielen Blockflöte.

FRAU ROSE : Inniger, Buben, inniger.

Die Buben spielen inniger. Möbius springt auf.

MÖBIUS : Lieber nicht! Bitte, lieber nicht!

Die Buben halten verwirrt inne.

MÖBIUS : Spielt nicht weiter. Bitte. Salomo zuliebe. Spielt
nicht weiter.

FRAU ROSE : Aber Johann Wilhelm!

MÖBIUS : Bitte, nicht mehr spielen. Bitte, nicht mehr spielen.
Bitte, bitte.

MISSIONAR ROSE : Herr Möbius. Gerade der König Salomo
wird sich über das Flötenspiel dieser unschuldigen Knaben
freuen. Denken Sie doch: Salomo, der Psalmdichter, Salomo,
der Sänger des Hohen Liedes!

MÖBIUS : Herr Missionar. Ich kenne Salomo von Angesicht
zu Angesicht. Er ist nicht mehr der große goldene König, der
Sulamith besingt und die Rehzwillinge, die unter Rosen wei-
den, er hat seinen Purpurmantel von sich geworfen *[Möbius*
eilt mit einem Male an der erschrockenen Familie vorbei nach hinten
zu seinem Zimmer und reißt die Türe auf], nackt und stinkend
kauert er in meinem Zimmer als der arme König der Wahrheit, und seine Psalmen sind schrecklich. Hören Sie gut zu,
Missionar, Sie lieben Psalmworte, kennen sie alle, lernen Sie
auch die auswendig:

Er ist zum runden Tisch links gegangen, kehrt ihn um, steigt in
ihn hinein, setzt sich in ihn.

Ein Psalm Salomos, den Weltraumfahrern zu singen

Wir hauten ins Weltall ab.
Zu den Wüsten des Monds. Versanken in ihrem Staub
Lautlos verreckten
Manche schon da. Doch die meisten verkochten
In den Bleidämpfen des Merkurs, lösten sich auf
In den Ölpfützen der Venus, und
Sogar auf dem Mars fraß uns die Sonne
Donnernd, radioaktiv und gelb

Jupiter stank
Ein pfeilschnell rotierender Methanbrei
Hing er so mächtig über uns
Daß wir Ganymed vollkotzten

FRAU ROSE: Aber Johann Wilhelm –
MÖBIUS:
Saturn bedachten wir mit Flüchen
Was dann weiter kam, nicht der Rede wert

Uranus, Neptun
Graugrünlich, erfroren
Über Pluto und Transpluto fielen die letzten
Unanständigen Witze.

Hatten wir doch längst die Sonne mit Sirius verwechselt
Sirius mit Kanopus

Abgetrieben trieben wir in die Tiefen hinauf
Einigen weißen Sternen zu
Die wir gleichwohl nie erreichten

Längst schon Mumien in unseren Schiffen
Verkrustet von Unrat

In den Fratzen kein Erinnern mehr
An die atmende Erde

OBERSCHWESTER: Aber, aber Herr Möbius!
*Die Oberschwester hat mit Schwester Monika von rechts den
Raum betreten. Möbius sitzt starr, das Gesicht maskenhaft, im
umgekehrten Tisch.*
MÖBIUS: Packt euch nun nach den Marianen fort!
FRAU ROSE: Johann Wilhelmlein –
DIE BUBEN: Papi –
MÖBIUS: Packt euch fort! Schleunigst! Nach den Marianen!
Er erhebt sich drohend. Die Familie Rose ist verwirrt.
OBERSCHWESTER: Kommt, Frau Rose, kommt, ihr Buben
und Herr Missionar. Er muß sich beruhigen, das ist alles.
MÖBIUS: Hinaus mit euch! Hinaus!
OBERSCHWESTER: Ein leichter Anfall. Schwester Monika wird
bei ihm bleiben, wird ihn beruhigen. Ein leichter Anfall.
MÖBIUS: Schiebt ab! Für immer! Nach dem Stillen Ozean!
JÖRG-LUKAS: Adieu Papi! Adieu!
*Die Oberschwester führt die bestürzte und weinende Familie nach
rechts hinaus. Möbius schreit ihnen hemmungslos nach.*
MÖBIUS: Ich will euch nie mehr sehen! Ihr habt den König
Salomo beleidigt! Ihr sollt verflucht sein! Ihr sollt mit den
ganzen Marianen im Marianengraben versaufen! Elftausend
Meter tief. Im schwärzesten Loch des Meeres sollt ihr verfaulen,
von Gott vergessen und den Menschen!
SCHWESTER MONIKA: Wir sind allein. Ihre Familie hört Sie
nicht mehr.
*Möbius starrt Schwester Monika verwundert an, scheint sich end-
lich zu finden.*
MÖBIUS: Ach so, natürlich.

Schwester Monika schweigt. Er ist etwas verlegen.

MÖBIUS : Ich war wohl etwas heftig?

SCHWESTER MONIKA : Ziemlich.

MÖBIUS : Ich mußte die Wahrheit sagen.

SCHWESTER MONIKA : Offenbar.

MÖBIUS : Ich regte mich auf.

SCHWESTER MONIKA : Sie verstellten sich.

MÖBIUS : Sie durchschauten mich?

SCHWESTER MONIKA : Ich pflege Sie nun zwei Jahre.

Er geht auf und ab, bleibt dann stehen.

MÖBIUS : Gut. Ich gebe es zu. Ich spielte den Wahnsinnigen.

SCHWESTER MONIKA : Weshalb?

MÖBIUS : Um von meiner Frau Abschied zu nehmen und von meinen Buben. Abschied für immer.

SCHWESTER MONIKA : Auf diese schreckliche Weise?

MÖBIUS : Auf diese humane Weise. Die Vergangenheit löscht man am besten mit einem wahnsinnigen Betragen aus, wenn man sich schon im Irrenhaus befindet: Meine Familie kann mich nun mit gutem Gewissen vergessen. Mein Auftritt hat ihr die Lust genommen, mich noch einmal aufzusuchen. Die Folgen meinerseits sind unwichtig, nur das Leben außerhalb der Anstalt zählt. Verrücktsein kostet. Fünfzehn Jahre zahlte meine gute Lina bestialische Summen, ein Schlußstrich mußte endlich gezogen werden. Der Augenblick war günstig. Salomo hat mir offenbart, was zu offenbaren war, das System aller möglichen Erfindungen ist abgeschlossen, die letzten Seiten sind diktiert, und meine Frau hat einen neuen Gatten gefunden, den kreuzbraven Missionar Rose, Sie dürfen beruhigt sein, Schwester Monika. Es ist nun alles in Ordnung.

Er will abgehen.

SCHWESTER MONIKA : Sie handelten planmäßig.

MÖBIUS : Ich bin Physiker.

Er wendet sich seinem Zimmer zu.

SCHWESTER MONIKA : Herr Möbius.

Er bleibt stehen.

MÖBIUS: Schwester Monika?

SCHWESTER MONIKA: Ich habe mit Ihnen zu reden.

MÖBIUS: Bitte.

SCHWESTER MONIKA: Es geht um uns beide.

MÖBIUS: Nehmen wir Platz.

Sie setzen sich. Sie aufs Sofa, er auf den Sessel links davon.

SCHWESTER MONIKA: Auch wir müssen voneinander Abschied nehmen. Auch für immer.

Er erschrickt.

MÖBIUS: Sie verlassen mich?

SCHWESTER MONIKA: Befehl.

MÖBIUS: Was ist geschehen?

SCHWESTER MONIKA: Man versetzt mich ins Hauptgebäude. Morgen übernehmen hier Pfleger die Bewachung. Eine Krankenschwester darf diese Villa nicht mehr betreten.

MÖBIUS: Newtons und Einsteins wegen?

SCHWESTER MONIKA: Auf Verlangen des Staatsanwalts. Die Chefärztin befürchtete Schwierigkeiten und gab nach.

Schweigen. Er ist niedergeschlagen.

MÖBIUS: Schwester Monika, ich bin unbeholfen. Ich verlernte es, Gefühle auszudrücken, die Fachsimpeleien mit den beiden Kranken, neben denen ich lebe, sind ja kaum Gespräche zu nennen. Ich bin verstummt, ich fürchte, auch innerlich. Doch Sie sollen wissen, daß für mich alles anders geworden ist, seit ich Sie kenne. Erträglicher. Nun, auch diese Zeit ist vorüber. Zwei Jahre, in denen ich etwas glücklicher war als sonst. Weil ich durch Sie, Schwester Monika, den Mut gefunden habe, meine Abgeschlossenheit und mein Schicksal als – Verrückter – auf mich zu nehmen. Leben Sie wohl.

Er steht auf und will ihr die Hand reichen.

SCHWESTER MONIKA: Herr Möbius, ich halte Sie nicht für – verrückt.

Möbius lacht, setzt sich wieder.

38

MÖBIUS: Ich mich auch nicht. Aber das ändert nichts an meiner Lage. Ich habe das Pech, daß mir der König Salomo erscheint. Es gibt nun einmal nichts Anstößigeres als ein Wunder im Reiche der Wissenschaft.

SCHWESTER MONIKA: Herr Möbius, ich glaube an dieses Wunder.

Möbius starrt sie fassungslos an.

MÖBIUS: Sie glauben?

SCHWESTER MONIKA: An den König Salomo.

MÖBIUS: Daß er mir erscheint?

SCHWESTER MONIKA: Daß er Ihnen erscheint.

MÖBIUS: Jeden Tag, jede Nacht?

SCHWESTER MONIKA: Jeden Tag, jede Nacht.

MÖBIUS: Daß er mir die Geheimnisse der Natur diktiert? Den Zusammenhang aller Dinge? Das System aller möglichen Erfindungen?

SCHWESTER MONIKA: Ich glaube daran. Und wenn Sie erzählten, auch noch der König David erscheine Ihnen mit seinem Hofstaat, würde ich es glauben. Ich weiß einfach, daß Sie nicht krank sind. Ich fühle es.

Stille. Dann springt Möbius auf.

MÖBIUS: Schwester Monika! Gehen Sie!

Sie bleibt sitzen.

SCHWESTER MONIKA: Ich bleibe.

MÖBIUS: Ich will Sie nie mehr sehen.

SCHWESTER MONIKA: Sie haben mich nötig. Sie haben sonst niemand mehr auf der Welt. Keinen Menschen.

MÖBIUS: Es ist tödlich, an den König Salomo zu glauben.

SCHWESTER MONIKA: Ich liebe Sie.

Möbius starrt Schwester Monika ratlos an, setzt sich wieder, Stille.

MÖBIUS *leise, niedergeschlagen:* Sie rennen in Ihr Verderben.

SCHWESTER MONIKA: Ich fürchte nicht für mich, ich fürchte für Sie. Newton und Einstein sind gefährlich.

MÖBIUS: Ich komme mit ihnen aus.

SCHWESTER MONIKA: Auch Schwester Dorothea und Schwester Irene kamen mit ihnen aus. Und dann kamen sie um.

MÖBIUS: Schwester Monika. Sie haben mir Ihren Glauben und Ihre Liebe gestanden. Sie zwingen mich, Ihnen nun auch die Wahrheit zu sagen. Ich liebe Sie ebenfalls, Monika.

Sie starrt ihn an.

MÖBIUS: Mehr als mein Leben. Und darum sind Sie in Gefahr. Weil wir uns lieben.

Aus Zimmer Nummer 2 kommt Einstein, raucht eine Pfeife.

EINSTEIN: Ich bin wieder aufgewacht.

SCHWESTER MONIKA: Aber Herr Professor.

EINSTEIN: Ich erinnerte mich plötzlich.

SCHWESTER MONIKA: Aber Herr Professor.

EINSTEIN: Ich erdrosselte Schwester Irene.

SCHWESTER MONIKA: Denken Sie nicht mehr daran, Herr Professor.

Er betrachtet seine Hände.

EINSTEIN: Ob ich noch jemals fähig bin, Geige zu spielen?

Möbius erhebt sich, wie um Monika zu schützen.

MÖBIUS: Sie geigten ja schon wieder.

EINSTEIN: Passabel?

MÖBIUS: Die Kreutzersonate. Während die Polizei da war.

EINSTEIN: Die Kreutzersonate. Gott sei Dank.

Seine Miene hat sich aufgeklärt, verdüstert sich aber wieder.

EINSTEIN: Dabei geige ich gar nicht gern, und die Pfeife liebe ich auch nicht. Sie schmeckt scheußlich.

MÖBIUS: Dann lassen Sie es sein.

EINSTEIN: Kann ich doch nicht. Als Albert Einstein.

Er schaut die beiden scharf an.

EINSTEIN: Ihr liebt einander?

SCHWESTER MONIKA: Wir lieben uns.

Einstein geht nachdenklich hinaus in den Hintergrund, wo die ermordete Schwester lag.

EINSTEIN: Auch Schwester Irene und ich liebten uns. Sie wollte alles für mich tun, die Schwester Irene. Ich warnte sie. Ich schrie sie an. Ich behandelte sie wie einen Hund. Ich flehte sie an zu fliehen. Vergeblich. Sie blieb. Sie wollte mit mir aufs Land ziehen. Nach Kohlwang. Sie wollte mich heiraten. Sogar die Bewilligung hatte sie schon. Von Fräulein Doktor von Zahnd. Da erdrosselte ich sie. Die arme Schwester Irene. Es gibt nichts Unsinnigeres auf der Welt als die Raserei, mit der sich die Weiber aufopfern.

Schwester Monika geht zu ihm.

SCHWESTER MONIKA: Legen Sie sich wieder hin, Professor.

EINSTEIN: Sie dürfen mich Albert nennen.

SCHWESTER MONIKA: Seien Sie vernünftig, Albert.

EINSTEIN: Seien Sie vernünftig, Schwester Monika. Gehorchen Sie Ihrem Geliebten und fliehen Sie! Sonst sind Sie verloren.

Er wendet sich wieder dem Zimmer Nummer 2 zu.

EINSTEIN: Ich gehe wieder schlafen.

Er verschwindet in Nummer 2.

SCHWESTER MONIKA: Dieser arme irre Mensch.

MÖBIUS: Er sollte Sie endlich von der Unmöglichkeit überzeugt haben, mich zu lieben.

SCHWESTER MONIKA: Sie sind nicht verrückt.

MÖBIUS: Es wäre vernünftiger, Sie hielten mich dafür. Fliehen Sie! Machen Sie sich aus dem Staube! Hauen Sie ab! Sonst muß ich Sie auch noch wie einen Hund behandeln.

SCHWESTER MONIKA: Behandeln Sie mich lieber wie eine Geliebte.

MÖBIUS: Kommen Sie, Monika.

Er führt sie zu einem Sessel, setzt sich ihr gegenüber, ergreift ihre Hände.

MÖBIUS: Hören Sie zu. Ich habe einen schweren Fehler begangen. Ich habe mein Geheimnis verraten, ich habe Salomos Erscheinen nicht verschwiegen. Dafür läßt er mich büßen. Lebenslänglich. In Ordnung. Aber Sie sollen nicht auch noch dafür bestraft werden. In den Augen der Welt lieben Sie einen Geisteskranken. Sie laden nur Unglück auf sich. Verlassen Sie die Anstalt, vergessen Sie mich. So ist es am besten für uns beide.

SCHWESTER MONIKA: Begehren Sie mich?

MÖBIUS: Warum reden Sie so mit mir?

SCHWESTER MONIKA: Ich will mit Ihnen schlafen, ich will Kinder von Ihnen haben. Ich weiß, ich rede schamlos. Aber warum schauen Sie mich nicht an? Gefalle ich Ihnen denn nicht? Ich gebe zu, meine Schwesterntracht ist gräßlich.

Sie reißt sich die Haube vom Haar.

SCHWESTER MONIKA: Ich hasse meinen Beruf! Fünf Jahre habe ich nun die Kranken gepflegt, im Namen der Nächstenliebe. Ich habe mein Gesicht nie abgewendet, ich war für alle da, ich habe mich aufgeopfert. Aber nun will ich mich für jemanden allein aufopfern, für jemanden allein dasein, nicht immer für andere. Ich will für meinen Geliebten dasein. Für Sie. Ich will alles tun, was Sie von mir verlangen, für Sie arbeiten Tag und Nacht, nur fortschicken dürfen Sie mich nicht! Ich habe doch auch niemanden mehr auf der Welt als Sie! Ich bin doch auch allein!

MÖBIUS: Monika. Ich muß Sie fortschicken.

SCHWESTER MONIKA *verzweifelt:* Lieben Sie mich denn gar nicht?

MÖBIUS: Ich liebe Sie, Monika. Mein Gott, ich liebe Sie, das ist ja das Wahnsinnige.

SCHWESTER MONIKA: Warum verraten Sie mich dann? Und nicht nur mich? Sie behaupten, der König Salomo erscheine Ihnen. Warum verraten Sie auch ihn?

Möbius, ungeheuer erregt, packt sie.

MÖBIUS: Monika! Sie dürfen alles von mir glauben, mich für einen Schwächling halten. Ihr Recht. Ich bin unwürdig Ihrer Liebe. Aber Salomo bin ich treu geblieben. Er ist in mein Dasein eingebrochen, auf einmal, ungerufen, er hat mich mißbraucht, mein Leben zerstört, aber ich habe ihn nicht verraten.

SCHWESTER MONIKA: Sind Sie sicher?

MÖBIUS: Sie zweifeln?

SCHWESTER MONIKA: Sie glauben, dafür büßen zu müssen, weil Sie sein Erscheinen nicht verschwiegen haben. Aber vielleicht büßen Sie dafür, weil Sie sich für seine Offenbarung nicht einsetzen.

Er läßt sie fahren.

MÖBIUS: Ich – verstehe Sie nicht.

SCHWESTER MONIKA: Er diktiert Ihnen das System aller möglichen Erfindungen. Kämpften Sie für seine Anerkennung?

MÖBIUS: Man hält mich doch für verrückt.

SCHWESTER MONIKA: Warum sind Sie so mutlos?

MÖBIUS: Mut ist in meinem Falle ein Verbrechen.

SCHWESTER MONIKA: Johann Wilhelm. Ich sprach mit Fräulein Doktor von Zahnd.

Möbius starrt sie an.

MÖBIUS: Sie sprachen?

SCHWESTER MONIKA: Sie sind frei.

MÖBIUS: Frei?

SCHWESTER MONIKA: Wir dürfen uns heiraten.

MÖBIUS: Mein Gott.

SCHWESTER MONIKA: Fräulein Doktor von Zahnd hat schon alles geregelt. Sie hält Sie zwar für krank, aber für ungefährlich. Und für erblich nicht belastet. Sie selbst sei verrückter als Sie, erklärte sie und lachte.

MÖBIUS: Das ist lieb von ihr.

SCHWESTER MONIKA: Ist sie nicht ein prächtiger Mensch?

MÖBIUS: Sicher.

SCHWESTER MONIKA: Johann Wilhelm! Ich habe den Posten einer Gemeindeschwester in Blumenstein angenommen. Ich habe gespart. Wir brauchen uns nicht zu sorgen. Wir brauchen uns nur richtig liebzuhaben.

Möbius hat sich erhoben. Im Zimmer wird es allmählich dunkel.

SCHWESTER MONIKA: Ist es nicht wunderbar?

MÖBIUS: Gewiß.

SCHWESTER MONIKA: Sie freuen sich nicht.

MÖBIUS: Es kommt so unerwartet.

SCHWESTER MONIKA: Ich habe noch mehr getan.

MÖBIUS: Das wäre?

SCHWESTER MONIKA: Mit dem berühmten Physiker Professor Scherbert gesprochen.

MÖBIUS: Er war mein Lehrer.

SCHWESTER MONIKA: Er erinnerte sich genau. Sie seien sein bester Schüler gewesen.

MÖBIUS: Und was besprachen Sie mit ihm?

SCHWESTER MONIKA: Er versprach mir, Ihre Manuskripte unvoreingenommen zu prüfen.

MÖBIUS: Erklärten Sie auch, daß sie von Salomo stammen?

SCHWESTER MONIKA: Natürlich.

MÖBIUS: Und?

SCHWESTER MONIKA: Er lachte. Sie seien immer ein toller Spaßvogel gewesen. Johann Wilhelm! Wir haben nicht nur an uns zu denken. Sie sind auserwählt. Salomo ist Ihnen erschienen, offenbarte sich Ihnen in seinem Glanz, die Weisheit des Himmels wurde Ihnen zuteil. Nun haben Sie den Weg zu gehen, den das Wunder befiehlt, unbeirrbar, auch wenn der Weg durch Spott und Gelächter führt, durch Unglauben und Zweifel. Aber er führt aus dieser Anstalt. Johann Wilhelm, er führt in die Öffentlichkeit, nicht in die Einsamkeit, er führt in den Kampf. Ich bin da, dir zu helfen, mit dir zu kämpfen, der Himmel, der dir Salomo schickte, schickte auch mich.

Möbius starrt zum Fenster hinaus.

SCHWESTER MONIKA: Liebster.

MÖBIUS: Geliebte?

SCHWESTER MONIKA: Bist du nicht froh?

MÖBIUS: Sehr.

SCHWESTER MONIKA: Wir müssen nun deine Koffer packen. Acht Uhr zwanzig geht der Zug. Nach Blumenstein.

MÖBIUS: Viel ist ja nicht.

SCHWESTER MONIKA: Es ist dunkel geworden.

MÖBIUS: Die Nacht kommt jetzt früh.

SCHWESTER MONIKA: Ich mache Licht.

MÖBIUS: Warte noch. Komm zu mir.

Sie geht zu ihm. Nur noch die beiden Silhouetten sind sichtbar.

SCHWESTER MONIKA: Du hast Tränen in den Augen.

MÖBIUS: Du auch.

SCHWESTER MONIKA: Vor Glück.

Er reißt den Vorhang herunter und über sie. Kurzer Kampf. Die Silhouetten sind nicht mehr sichtbar. Dann Stille. Die Türe von Zimmer Nummer 3 öffnet sich. Ein Lichtstrahl dringt in den Raum. Newton steht in der Türe im Kostüm seines Jahrhunderts. Möbius erhebt sich.

NEWTON: Was ist geschehen?

MÖBIUS: Ich habe Schwester Monika Stettler erdrosselt.

Aus Zimmer Nummer 2 hört man Einstein geigen.

NEWTON: Da geigt Einstein wieder. Kreisler. Schön Rosmarin.

Er geht zum Kamin, holt den Kognak.

EINE STUNDE SPÄTER. DER GLEICHE RAUM. DRAUSSEN *Nacht. Wieder Polizei. Wieder messen, aufzeichnen, photographieren. Nur ist jetzt die für das Publikum unsichtbare Leiche der Monika Stettler hinten rechts unter dem Fenster anzunehmen. Der Salon ist erleuchtet. Der Lüster brennt, die Stehlampe. Auf dem Sofa sitzt Frl. Doktor Mathilde von Zahnd, düster, in sich versunken. Auf dem kleinen Tisch vor ihr eine Zigarrenkiste, auf dem Sessel rechts außen Guhl mit Stenoblock. Inspektor Voß wendet sich in Hut und Mantel von der Leiche ab, kommt nach vorne.*

FRL. DOKTOR: Eine Havanna?

INSPEKTOR: Nein, danke.

FRL. DOKTOR: Schnaps?

INSPEKTOR: Später.

Schweigen.

INSPEKTOR: Blocher, du kannst jetzt photographieren.

BLOCHER: Jawohl, Herr Inspektor.

Man photographiert. Blitzlichter.

INSPEKTOR: Wie hieß die Schwester?

FRL. DOKTOR: Monika Stettler.

INSPEKTOR: Alter?

FRL. DOKTOR: Fünfundzwanzig. Aus Blumenstein.

INSPEKTOR: Angehörige?

FRL. DOKTOR: Keine.

INSPEKTOR: Haben Sie die Aussagen, Guhl?

47

GUHL: Jawohl, Herr Inspektor.

INSPEKTOR: Auch erdrosselt, Doktor?

GERICHTSMEDIZINER: Eindeutig. Wieder mit Riesenkräften. Nur diesmal mit der Vorhangkordel.

INSPEKTOR: Wie vor drei Monaten.

Er setzt sich müde auf den Sessel rechts vorne.

FRL. DOKTOR: Möchten Sie nun den Mörder –

INSPEKTOR: Bitte, Fräulein Doktor.

FRL. DOKTOR: Ich meine, den Täter sehen?

INSPEKTOR: Ich denke nicht daran.

FRL. DOKTOR: Aber –

INSPEKTOR: Fräulein Doktor von Zahnd. Ich tue meine Pflicht, nehme Protokoll, besichtige die Leiche, lasse sie photographieren und durch unseren Gerichtsmediziner begutachten, aber Möbius besichtige ich nicht. Den überlasse ich Ihnen. Endgültig. Mit den andern radioaktiven Physikern.

FRL. DOKTOR: Der Staatsanwalt?

INSPEKTOR: Tobt nicht einmal mehr. Brütet.

Sie wischt sich den Schweiß ab.

FRL. DOKTOR: Heiß hier.

INSPEKTOR: Durchaus nicht.

FRL. DOKTOR: Dieser dritte Mord –

INSPEKTOR: Bitte, Fräulein Doktor.

FRL. DOKTOR: Dieser dritte Unglücksfall hat mir in Les Cerisiers gerade noch gefehlt. Ich kann abdanken. Monika Stettler war meine beste Pflegerin. Sie verstand die Kranken. Sie konnte sich einfühlen. Ich liebte sie wie eine Tochter. Aber ihr Tod ist noch nicht das Schlimmste. Mein medizinischer Ruf ist dahin.

INSPEKTOR: Der kommt schon wieder. Blocher, mache noch eine Aufnahme von oben.

BLOCHER: Jawohl, Herr Inspektor.

Von rechts schieben zwei riesenhafte Pfleger einen Wagen mit Geschirr und Essen herein. Einer der Pfleger ist ein Neger. Sie sind von einem ebenso riesenhaften Oberpfleger begleitet.

48

OBERPFLEGER: Das Abendbrot für die lieben Kranken, Fräulein Doktor.

Der Inspektor springt auf.

INSPEKTOR: Uwe Sievers.

OBERPFLEGER: Richtig, Herr Inspektor. Uwe Sievers. Ehemaliger Europameister im Schwergewichtsboxen. Nun Oberpfleger in Les Cerisiers.

INSPEKTOR: Und die zwei andern Ungeheuer?

OBERPFLEGER: Murillo, südamerikanischer Meister, auch im Schwergewicht, und McArthur [*er zeigt auf den Neger*], nordamerikanischer Meister, Mittelgewicht. Stell den Tisch auf, McArthur.

McArthur stellt den Tisch auf.

OBERPFLEGER: Das Tischtuch, Murillo.

Murillo breitet ein weißes Tuch über den Tisch.

OBERPFLEGER: Das Meißner Porzellan, McArthur.

McArthur verteilt das Geschirr.

OBERPFLEGER: Das Silberbesteck, Murillo.

Murillo verteilt das Besteck.

OBERPFLEGER: Die Suppenschüssel in die Mitte, McArthur.

McArthur stellt die Suppenschüssel auf den Tisch.

INSPEKTOR: Was kriegen denn unsere lieben Kranken?

Er hebt den Deckel der Suppenschüssel hoch.

INSPEKTOR: Leberknödelsuppe.

OBERPFLEGER: Poulet à la broche, Cordon bleu.

INSPEKTOR: Phantastisch.

OBERPFLEGER: Erste Klasse.

INSPEKTOR: Ich bin ein Beamter vierzehnter Klasse, da geht's zu Hause weniger kulinarisch zu.

OBERPFLEGER: Es ist angerichtet, Fräulein Doktor.

FRL. DOKTOR: Sie können gehen, Sievers. Die Patienten bedienen sich selbst.

OBERPFLEGER: Herr Inspektor, wir hatten die Ehre.

Die drei verbeugen sich und gehen nach rechts hinaus. Der Inspektor sieht ihnen nach.

INSPEKTOR : Donnerwetter.

FRL. DOKTOR : Zufrieden?

INSPEKTOR : Neidisch. Wenn wir die bei der Polizei hätten –

FRL. DOKTOR : Die Gagen sind astronomisch.

INSPEKTOR : Mit Ihren Schlotbaronen und Multimillionärinnen können Sie sich das ja leisten. Die Burschen werden den Staatsanwalt endlich beruhigen. Denen entkommt niemand.

Im Zimmer Nummer 2 hört man Einstein geigen.

INSPEKTOR : Und auch Einstein geigt wieder.

FRL. DOKTOR : Kreisler. Wie meistens. Liebesleid.

BLOCHER : Wir wären fertig, Herr Inspektor.

INSPEKTOR : Dann schafft die Leiche wieder mal hinaus.

Zwei Polizisten heben die Leiche hoch. Da stürzt Möbius aus Zimmer Nummer 1.

MÖBIUS : Monika! Meine Geliebte!

Die Polizisten mit der Leiche bleiben stehen. Fräulein Doktor erhebt sich majestätisch.

FRL. DOKTOR : Möbius! Wie konnten Sie das tun? Sie haben meine beste Krankenschwester getötet, meine sanfteste Krankenschwester, meine süßeste Krankenschwester!

MÖBIUS : Es tut mir ja so leid, Fräulein Doktor.

FRL. DOKTOR : Leid.

MÖBIUS : König Salomo befahl es.

FRL. DOKTOR : Der König Salomo ...

Sie setzt sich wieder. Schwerfällig. Bleich.

FRL. DOKTOR : Seine Majestät ordnete den Mord an.

MÖBIUS : Ich stand am Fenster und starrte in den dunklen Abend. Da schwebte der König vom Park her über die Terrasse ganz nahe an mich heran und flüsterte mir durch die Scheibe den Befehl zu.

FRL. DOKTOR : Entschuldigen Sie, Voß. Meine Nerven.

INSPEKTOR : Schon in Ordnung.

FRL. DOKTOR: So eine Anstalt reibt auf.

INSPEKTOR: Kann ich mir denken.

FRL. DOKTOR: Ich ziehe mich zurück.

Sie erhebt sich.

FRL. DOKTOR: Herr Inspektor Voß: Drücken Sie dem Staatsanwalt mein Bedauern über die Vorfälle in meinem Sanatorium aus. Versichern Sie ihm, es sei nun alles in Ordnung. Herr Gerichtsmediziner, meine Herren, ich hatte die Ehre.

Sie geht zuerst nach hinten links, verneigt sich vor der Leiche, feierlich, schaut dann Möbius an, geht dann nach rechts hinaus.

INSPEKTOR: So. Nun könnt ihr die Leiche endgültig in die Kapelle tragen. Zu Schwester Irene.

MÖBIUS: Monika!

Die beiden Polizisten mit der Leiche, die andern mit den Apparaten durch die Gartentüre ab. Der Gerichtsmediziner folgt.

MÖBIUS: Meine geliebte Monika.

Der Inspektor tritt zum kleinen Tischchen beim Sofa.

INSPEKTOR: Jetzt benötige ich doch eine Havanna. Ich habe sie verdient.

Nimmt eine riesige Zigarre aus der Kiste, betrachtet sie.

INSPEKTOR: Tolles Ding.

Beißt sie an, zündet sie an.

INSPEKTOR: Mein lieber Möbius, hinter dem Kamingitter ist Sir Isaak Newtons Kognak versteckt.

MÖBIUS: Bitte, Herr Inspektor.

Der Inspektor pafft vor sich hin, während Möbius die Kognakflasche und das Glas holt.

MÖBIUS: Darf ich einschenken?

INSPEKTOR: Sie dürfen.

Er nimmt das Glas, trinkt.

MÖBIUS: Noch einen?

INSPEKTOR: Noch einen.

Möbius schenkt wieder ein.

MÖBIUS: Herr Inspektor, ich muß Sie bitten, mich zu verhaften.

INSPEKTOR: Aber wozu denn, mein lieber Möbius?

MÖBIUS: Weil ich doch die Schwester Monika –

INSPEKTOR: Nach Ihrem eigenen Geständnis haben Sie auf Befehl des Königs Salomo gehandelt. Solange ich den nicht verhaften kann, bleiben Sie frei.

MÖBIUS: Trotzdem –

INSPEKTOR: Es gibt kein Trotzdem. Schenken Sie mir noch einmal ein.

MÖBIUS: Bitte, Herr Inspektor.

INSPEKTOR: Und nun versorgen Sie den Kognak wieder, sonst saufen ihn die Pfleger aus.

MÖBIUS: Jawohl, Herr Inspektor.

Er versorgt den Kognak.

INSPEKTOR: Sehen Sie, ich verhafte jährlich im Städtchen und in der Umgebung einige Mörder. Nicht viele. Kaum ein Halbdutzend. Einige verhafte ich mit Vergnügen, andere tun mir leid. Aber ich muß sie trotzdem verhaften. Die Gerechtigkeit ist die Gerechtigkeit. Und nun kommen Sie und Ihre zwei Kollegen. Zuerst habe ich mich ja geärgert, daß ich nicht einschreiten durfte, doch jetzt? Ich genieße es auf einmal. Ich könnte jubeln. Ich habe drei Mörder gefunden, die ich mit gutem Gewissen nicht zu verhaften brauche. Die Gerechtigkeit macht zum ersten Male Ferien, ein immenses Gefühl. Die Gerechtigkeit, mein Freund, strengt nämlich mächtig an, man ruiniert sich in ihrem Dienst, gesundheitlich und moralisch, ich brauche einfach eine Pause. Mein Lieber, diesen Genuß verdanke ich Ihnen. Leben Sie wohl. Grüßen Sie mir Newton und Einstein recht freundlich und lassen Sie mich bei Salomo empfehlen.

MÖBIUS: Jawohl, Herr Inspektor.

Der Inspektor geht ab. Möbius ist allein. Er setzt sich auf das Sofa, preßt mit den Händen seine Schläfen. Aus Zimmer Nummer 3 kommt Newton.

NEWTON: Was gibt es denn?

Möbius schweigt. Newton deckt die Suppenschüssel auf.

NEWTON: Leberknödelsuppe.

Deckt die anderen Speisen auf dem Wagen auf.

NEWTON: Poulet à la broche, Cordon bleu. Merkwürdig. Sonst essen wir doch abends leicht. Und bescheiden. Seit die andern Patienten im Neubau sind.

Er serviert sich Suppe.

NEWTON: Keinen Hunger?

Möbius schweigt.

NEWTON: Verstehe. Nach meiner Krankenschwester verging mir auch der Appetit.

Er setzt sich und beginnt Leberknödelsuppe zu essen. Möbius erhebt sich und will auf sein Zimmer gehen.

NEWTON: Bleiben Sie.

MÖBIUS: Sir Isaak?

NEWTON: Ich habe mit Ihnen zu reden, Möbius.

Möbius bleibt stehen.

MÖBIUS: Und?

Newton deutet auf das Essen.

NEWTON: Möchten Sie nicht vielleicht doch die Leberknödelsuppe versuchen? Sie schmeckt vorzüglich.

MÖBIUS: Nein.

NEWTON: Mein lieber Möbius, wir werden nicht mehr von Schwestern betreut, wir werden von Pflegern bewacht. Von riesigen Burschen.

MÖBIUS: Das spielt doch keine Rolle.

NEWTON: Vielleicht nicht für Sie, Möbius. Sie wünschen ja offenbar Ihr ganzes Leben im Irrenhaus zu verbringen. Aber für mich spielt es eine Rolle. Ich will nämlich hinaus.

Er beendet die Leberknödelsuppe.

NEWTON: Na. Gehen wir mal zum Poulet à la broche über.

Er serviert sich.

NEWTON: Die Pfleger zwingen mich zu handeln. Noch heute.

MÖBIUS: Ihre Sache.

NEWTON: Nicht ganz. Ein Geständnis, Möbius: Ich bin nicht verrückt.

MÖBIUS: Aber natürlich nicht, Sir Isaak.

NEWTON: Ich bin nicht Sir Isaak Newton.

MÖBIUS: Ich weiß. Albert Einstein.

NEWTON: Blödsinn. Auch nicht Herbert Georg Beutler, wie man hier glaubt. Mein wahrer Name lautet Kilton, mein Junge.

Möbius starrt ihn erschrocken an.

MÖBIUS: Alec Jasper Kilton?

NEWTON: Richtig.

MÖBIUS: Der Begründer der Entsprechungslehre?

NEWTON: Der.

Möbius kommt zum Tisch.

MÖBIUS: Sie haben sich hier eingeschlichen?

NEWTON: Indem ich den Verrückten spielte.

MÖBIUS: Um mich – auszuspionieren?

NEWTON: Um hinter den Grund Ihrer Verrücktheit zu kommen. Mein tadelloses Deutsch ist mir im Lager unseres Geheimdienstes beigebracht worden, eine schreckliche Arbeit.

MÖBIUS: Und weil die arme Schwester Dorothea auf die Wahrheit kam, haben Sie –

NEWTON: Habe ich. Der Vorfall tut mir außerordentlich leid.

MÖBIUS: Verstehe.

NEWTON: Befehl ist Befehl.

MÖBIUS: Selbstverständlich.

NEWTON: Ich durfte nicht anders handeln.

MÖBIUS: Natürlich nicht.

NEWTON: Meine Mission stand in Frage, das geheimste Unternehmen unseres Geheimdienstes. Ich mußte töten, wollte ich jeden Verdacht vermeiden. Schwester Dorothea hielt mich nicht mehr für verrückt, die Chefärztin nur für mäßig erkrankt, es galt meinen Wahnsinn durch einen Mord endgültig zu beweisen. Sie, das Poulet à la broche schmeckt aber wirklich großartig.

54

Aus Zimmer Nummer 2 hört man Einstein geigen.

MÖBIUS: Da geigt Einstein wieder.

NEWTON: Die Gavotte von Bach.

MÖBIUS: Sein Essen wird kalt.

NEWTON: Lassen Sie den Verrückten ruhig weitergeigen.

MÖBIUS: Eine Drohung?

NEWTON: Ich verehre Sie unermeßlich. Es würde mir leid tun, energisch vorgehen zu müssen.

MÖBIUS: Sie haben den Auftrag, mich zu entführen?

NEWTON: Falls sich der Verdacht unseres Geheimdienstes bestätigt.

MÖBIUS: Der wäre?

NEWTON: Er hält Sie zufällig für den genialsten Physiker der Gegenwart.

MÖBIUS: Ich bin ein schwer nervenkranker Mensch, Kilton, nichts weiter.

NEWTON: Unser Geheimdienst ist darüber anderer Ansicht.

MÖBIUS: Und was glauben Sie von mir?

NEWTON: Ich halte Sie schlicht für den größten Physiker aller Zeiten.

MÖBIUS: Und wie kam Ihr Geheimdienst auf meine Spur?

NEWTON: Durch mich. Ich las zufällig Ihre Dissertation über die Grundlagen einer neuen Physik. Zuerst hielt ich die Abhandlung für eine Spielerei. Dann fiel es mir wie Schuppen von den Augen. Ich hatte es mit dem genialsten Dokument der neueren Physik zu tun. Ich begann über den Verfasser nachzuforschen und kam nicht weiter. Darauf informierte ich den Geheimdienst, und der kam dann weiter.

EINSTEIN: Sie waren nicht der einzige Leser der Dissertation, Kilton.

Er ist unbemerkt mit seiner Geige unter dem Arm und mit seinem Geigenbogen aus Zimmer Nummer 2 erschienen.

EINSTEIN: Ich bin nämlich auch nicht verrückt. Darf ich mich vorstellen? Ich bin ebenfalls Physiker. Mitglied eines Geheimdienstes. Aber eines ziemlich anderen. Mein Name ist Joseph Eisler.

MÖBIUS: Der Entdecker des Eisler-Effekts?

EINSTEIN: Der.

NEWTON: Neunzehnhundertfünfzig verschollen.

EINSTEIN: Freiwillig.

Newton hält plötzlich einen Revolver in der Hand.

NEWTON: Darf ich bitten, Eisler, sich mit dem Gesicht gegen die Wand zu stellen?

EINSTEIN: Aber natürlich.

Er schlendert gemächlich zum Kamin, legt seine Geige auf das Kaminsims, kehrt sich dann plötzlich um, einen Revolver in der Hand.

EINSTEIN: Mein bester Kilton. Da wir beide, wie ich vermute, mit Waffen tüchtig umzugehen wissen, wollen wir doch ein Duell möglichst vermeiden, finden Sie nicht? Ich lege meinen Browning gern zur Seite, falls Sie auch Ihren Colt –

NEWTON: Einverstanden.

EINSTEIN: Hinter das Kamingitter zum Kognak. Im Falle, es kämen plötzlich die Pfleger.

NEWTON: Schön.

Beide legen ihre Revolver hinter das Kamingitter.

EINSTEIN: Sie brachten meine Pläne durcheinander, Kilton, Sie hielt ich wirklich für verrückt.

NEWTON: Trösten Sie sich: Ich Sie auch.

EINSTEIN: Überhaupt ging manches schief. Die Sache mit der Schwester Irene zum Beispiel heute nachmittag. Sie hatte Verdacht geschöpft, und damit war ihr Todesurteil gefällt. Der Vorfall tut mir außerordentlich leid.

MÖBIUS: Verstehe.

EINSTEIN: Befehl ist Befehl.

MÖBIUS: Selbstverständlich.

EINSTEIN: Ich konnte nicht anders handeln.

MÖBIUS: Natürlich nicht.

EINSTEIN: Auch meine Mission stand in Frage, das geheimste Unternehmen auch meines Geheimdienstes. Setzen wir uns?

NEWTON: Setzen wir uns.

Er setzt sich links an den Tisch, Einstein rechts.

MÖBIUS: Ich nehme an, Eisler, auch Sie wollen mich nun zwingen –

EINSTEIN: Aber Möbius.

MÖBIUS: – bewegen, Ihr Land aufzusuchen.

EINSTEIN: Auch wir halten Sie schließlich für den größten aller Physiker. Aber nun bin ich auf das Abendessen gespannt. Die reinste Henkersmahlzeit.

Er schöpft sich Suppe.

EINSTEIN: Immer noch keinen Appetit, Möbius?

MÖBIUS: Doch. Plötzlich. Jetzt, wo ihr dahintergekommen seid.

Er setzt sich zwischen die beiden an den Tisch, schöpft sich ebenfalls Suppe.

NEWTON: Burgunder, Möbius?

MÖBIUS: Schenken Sie ein.

Newton schenkt ein.

NEWTON: Ich nehme das Cordon bleu in Angriff.

MÖBIUS: Tun Sie sich keinen Zwang an.

NEWTON: Mahlzeit.

EINSTEIN: Mahlzeit.

MÖBIUS: Mahlzeit.

Sie essen. Von rechts kommen die drei Pfleger, der Oberpfleger mit Notizbuch.

OBERPFLEGER: Patient Beutler!

NEWTON: Hier.

OBERPFLEGER: Patient Ernesti!

EINSTEIN: Hier.

OBERPFLEGER: Patient Möbius!

MÖBIUS: Hier.

OBERPFLEGER: Oberpfleger Sievers, Pfleger Murillo, Pfleger McArthur.

Er steckt das Notizbuch wieder ein.

OBERPFLEGER: Auf Anraten der Behörde sind gewisse Sicherheitsmaßnahmen zu treffen. Murillo, die Gitter zu.

Murillo läßt beim Fenster ein Gitter herunter. Der Raum hat nun auf einmal etwas von einem Gefängnis.

OBERPFLEGER: McArthur, schließ ab.

McArthur schließt das Gitter ab.

OBERPFLEGER: Haben die Herren für die Nacht noch einen Wunsch? Patient Beutler?

NEWTON: Nein.

OBERPFLEGER: Patient Ernesti?

EINSTEIN: Nein.

OBERPFLEGER: Patient Möbius?

MÖBIUS: Nein.

OBERPFLEGER: Meine Herren. Wir empfehlen uns. Gute Nacht.

Die drei Pfleger ab. Stille.

EINSTEIN: Biester.

NEWTON: Im Park lauern noch weitere Kolosse. Ich habe sie längst von meinem Fenster aus beobachtet.

Einstein erhebt sich und untersucht das Gitter.

EINSTEIN: Solid. Mit einem Spezialschloß.

Newton geht zu seiner Zimmertüre, öffnet sie, schaut hinein.

NEWTON: Auch vor meinem Fenster mit einemmal ein Gitter. Wie hingezaubert.

Er öffnet die beiden andern Türen im Hintergrund.

NEWTON: Auch bei Eisler. Und bei Möbius.

Er geht zur Türe rechts.

NEWTON: Abgeschlossen.

Er setzt sich wieder. Auch Einstein.

EINSTEIN: Gefangen.

NEWTON: Logisch. Wir mit unseren Krankenschwestern.

EINSTEIN: Jetzt kommen wir nur noch aus dem Irrenhaus, wenn wir gemeinsam vorgehen.

MÖBIUS: Ich will ja gar nicht fliehen.

EINSTEIN: Möbius –

MÖBIUS: Ich finde nicht den geringsten Grund dazu. Im Gegenteil. Ich bin mit meinem Schicksal zufrieden.

Schweigen.

NEWTON: Doch ich bin nicht damit zufrieden, ein ziemlich entscheidender Umstand, finden Sie nicht? Ihre persönlichen Gefühle in Ehren, aber Sie sind ein Genie und als solches Allgemeingut. Sie drangen in neue Gebiete der Physik vor. Aber Sie haben die Wissenschaft nicht gepachtet. Sie haben die Pflicht, die Türe auch uns aufzuschließen, den Nicht-Genialen. Kommen Sie mit mir, in einem Jahr stecken wir Sie in einen Frack, transportieren Sie nach Stockholm, und Sie erhalten den Nobelpreis.

MÖBIUS: Ihr Geheimdienst ist uneigennützig.

NEWTON: Ich gebe zu, Möbius, daß ihn vor allem die Vermutung beeindruckt, Sie hätten das Problem der Gravitation gelöst.

MÖBIUS: Stimmt.

Stille.

EINSTEIN: Das sagen Sie so seelenruhig?

MÖBIUS: Wie soll ich es denn sonst sagen?

EINSTEIN: Mein Geheimdienst glaubte, Sie würden die einheitliche Theorie der Elementarteilchen –

MÖBIUS: Auch Ihren Geheimdienst kann ich beruhigen. Die einheitliche Feldtheorie ist gefunden.

Newton wischt sich mit der Serviette den Schweiß von der Stirne.

NEWTON: Die Weltformel.

EINSTEIN: Zum Lachen. Da versuchen Horden gut besoldeter Physiker in riesigen staatlichen Laboratorien seit Jahren vergeblich in der Physik weiterzukommen, und Sie erledigen das en passant im Irrenhaus am Schreibtisch.

Er wischt sich ebenfalls mit der Serviette den Schweiß von der Stirne.

NEWTON: Und das System aller möglichen Erfindungen, Möbius?

MÖBIUS: Gibt es auch. Ich stellte es aus Neugierde auf, als praktisches Kompendium zu meinen theoretischen Arbeiten. Soll ich den Unschuldigen spielen? Was wir denken, hat seine Folgen. Es war meine Pflicht, die Auswirkungen zu studieren, die meine Feldtheorie und meine Gravitationslehre haben würden. Das Resultat ist verheerend. Neue, unvorstellbare Energien würden freigesetzt und eine Technik ermöglicht, die jeder Phantasie spottet, falls meine Untersuchung in die Hände der Menschen fiele.

EINSTEIN: Das wird sich kaum vermeiden lassen.

NEWTON: Die Frage ist nur, wer zuerst an sie herankommt.

Möbius lacht.

MÖBIUS: Sie wünschen dieses Glück wohl Ihrem Geheimdienst, Kilton, und dem Generalstab, der dahintersteht?

NEWTON: Warum nicht? Um den größten Physiker aller Zeiten in die Gemeinschaft der Physiker zurückzuführen, ist mir jeder Generalstab heilig. Es geht um die Freiheit unserer Wissenschaft und um nichts weiter. Wer diese Freiheit garantiert, ist gleichgültig. Ich diene jedem System, läßt mich das System in Ruhe. Ich weiß, man spricht heute von der Verantwortung der Physiker. Wir haben es auf einmal mit der Furcht zu tun und werden moralisch. Das ist Unsinn. Wir haben Pionierarbeit zu leisten und nichts außer dem. Ob die Menschheit den Weg zu gehen versteht, den wir ihr bahnen, ist ihre Sache, nicht die unsrige.

EINSTEIN: Zugegeben. Wir haben Pionierarbeit zu leisten. Das ist auch meine Meinung. Doch dürfen wir die Verantwortung nicht ausklammern. Wir liefern der Menschheit gewaltige Machtmittel. Das gibt uns das Recht, Bedingungen zu stellen. Wir müssen Machtpolitiker werden, weil wir Physiker sind. Wir müssen entscheiden, zu wessen Gunsten wir unsere Wissenschaft anwenden, und ich habe mich entschieden. Sie dagegen sind ein jämmerlicher Ästhet, Kilton. Warum kommen Sie dann nicht zu uns, wenn Ihnen nur an der Freiheit der Wissenschaft gelegen ist? Auch wir können es uns schon längst nicht mehr leisten, die Physiker zu bevormunden. Auch wir brauchen Resultate. Auch unser politisches System muß der Wissenschaft aus der Hand fressen.

NEWTON: Unsere beiden politischen Systeme, Eisler, müssen jetzt vor allem Möbius aus der Hand fressen.

EINSTEIN: Im Gegenteil. Er wird uns gehorchen müssen. Wir beide halten ihn schließlich in Schach.

NEWTON: Wirklich? Wir beide halten wohl mehr uns in Schach. Unsere Geheimdienste sind leider auf die gleiche Idee gekommen. Machen wir uns doch nichts vor. Überlegen wir doch die unmögliche Lage, in die wir dadurch geraten sind. Geht Möbius mit Ihnen, kann ich nichts dagegen tun, weil Sie es verhindern würden. Und Sie wären hilflos, wenn sich Möbius zu meinen Gunsten entschlösse. Er kann hier wählen, nicht wir.

Einstein erhebt sich feierlich.

EINSTEIN: Holen wir die Revolver.

Newton erhebt sich ebenfalls.

NEWTON: Kämpfen wir.

Newton holt die beiden Revolver hinter dem Kamingitter, gibt Einstein dessen Waffe.

EINSTEIN: Es tut mir leid, daß die Angelegenheit ein blutiges Ende findet. Aber wir müssen schießen. Aufeinander und auf die Wärter ohnehin. Im Notfall auch auf Möbius. Er mag der wichtigste Mann der Welt sein, seine Manuskripte sind wichtiger.

MÖBIUS: Meine Manuskripte? Ich habe sie verbrannt.

Totenstille.

EINSTEIN: Verbrannt?

MÖBIUS *verlegen:* Vorhin. Bevor die Polizei zurückkam. Um sicherzugehen.

Einstein bricht in ein verzweifeltes Gelächter aus.

EINSTEIN: Verbrannt.

Newton schreit wütend auf.

NEWTON: Die Arbeit von fünfzehn Jahren.

EINSTEIN: Es ist zum Wahnsinnigwerden.

NEWTON: Offiziell sind wir es ja schon.

Sie stecken ihre Revolver ein und setzen sich vernichtet aufs Sofa.

EINSTEIN: Damit sind wir Ihnen endgültig ausgeliefert, Möbius.

NEWTON: Und dafür mußte ich eine Krankenschwester erdrosseln und Deutsch lernen.

EINSTEIN: Während man mir das Geigen beibrachte: Eine Tortur für einen völlig unmusikalischen Menschen.

MÖBIUS: Essen wir nicht weiter?

NEWTON: Der Appetit ist mir vergangen.

EINSTEIN: Schade um das Cordon bleu.

Möbius steht auf.

MÖBIUS: Wir sind drei Physiker. Die Entscheidung, die wir zu fällen haben, ist eine Entscheidung unter Physikern. Wir müssen wissenschaftlich vorgehen. Wir dürfen uns nicht von Meinungen bestimmen lassen, sondern von logischen Schlüssen. Wir müssen versuchen, das Vernünftige zu finden. Wir dürfen uns keinen Denkfehler leisten, weil ein Fehlschluß zur Katastrophe führen müßte. Der Ausgangspunkt ist klar. Wir haben alle drei das gleiche Ziel im Auge, doch unsere Taktik ist verschieden. Das Ziel ist der Fortgang der Physik. Sie wollen ihr die Freiheit bewahren, Kilton, und streiten ihr die Verantwortung ab. Sie dagegen, Eisler, verpflichten die Physik im Namen der Verantwortung der Machtpolitik eines bestimmten Landes. Wie sieht nun aber die Wirklichkeit aus? Darüber verlange ich Auskunft, soll ich mich entscheiden.

NEWTON: Einige der berühmtesten Physiker erwarten Sie. Besoldung und Unterkunft ideal, die Gegend mörderisch, aber die Klimaanlagen ausgezeichnet.

MÖBIUS: Sind diese Physiker frei?

NEWTON: Mein lieber Möbius. Diese Physiker erklären sich

bereit, wissenschaftliche Probleme zu lösen, die für die Landesverteidigung entscheidend sind. Sie müssen daher verstehen –

MÖBIUS: Also nicht frei.

Er wendet sich Einstein zu.

MÖBIUS: Joseph Eisler. Sie treiben Machtpolitik. Dazu gehört jedoch Macht. Besitzen Sie die?

EINSTEIN: Sie mißverstehen mich, Möbius. Meine Machtpolitik besteht gerade darin, daß ich zugunsten einer Partei auf meine Macht verzichtet habe.

MÖBIUS: Können Sie die Partei im Sinne Ihrer Verantwortung lenken, oder laufen Sie Gefahr, von der Partei gelenkt zu werden?

EINSTEIN: Möbius! Das ist doch lächerlich. Ich kann natürlich nur hoffen, die Partei befolge meine Ratschläge, mehr nicht. Ohne Hoffnung gibt es nun einmal keine politische Haltung.

MÖBIUS: Sind wenigstens Ihre Physiker frei?

EINSTEIN: Da auch sie für die Landesverteidigung ...

MÖBIUS: Merkwürdig. Jeder preist mir eine andere Theorie an, doch die Realität, die man mir bietet, ist dieselbe: ein Gefängnis. Da ziehe ich mein Irrenhaus vor. Es gibt mir wenigstens die Sicherheit, von Politikern nicht ausgenützt zu werden.

EINSTEIN: Gewisse Risiken muß man schließlich eingehen.

MÖBIUS: Es gibt Risiken, die man nie eingehen darf: Der Untergang der Menschheit ist ein solches. Was die Welt mit den Waffen anrichtet, die sie schon besitzt, wissen wir, was sie mit jenen anrichten würde, die ich ermögliche, können wir uns denken. Dieser Einsicht habe ich mein Handeln untergeordnet. Ich war arm. Ich besaß eine Frau und drei Kinder. Auf der Universität winkte Ruhm, in der Industrie Geld. Beide Wege waren zu gefährlich. Ich hätte meine Arbeiten veröffentlichen müssen, der Umsturz unserer Wissenschaft und das Zusammenbrechen des wirtschaftlichen Gefüges wären die Folgen gewesen. Die Verantwortung zwang mir einen anderen Weg auf. Ich ließ meine akademische Karriere fahren, die Industrie fallen und überließ meine Familie ihrem Schicksal. Ich wählte die Narrenkappe. Ich gab vor, der König Salomo erscheine mir, und schon sperrte man mich in ein Irrenhaus.

NEWTON: Das war doch keine Lösung!

MÖBIUS: Die Vernunft forderte diesen Schritt. Wir sind in unserer Wissenschaft an die Grenzen des Erkennbaren gestoßen. Wir wissen einige genau erfaßbare Gesetze, einige Grundbeziehungen zwischen unbegreiflichen Erscheinungen, das ist alles, der gewaltige Rest bleibt Geheimnis, dem Verstande unzugänglich. Wir haben das Ende unseres Weges erreicht. Aber die Menschheit ist noch nicht so weit. Wir haben uns vorgekämpft, nun folgt uns niemand nach, wir sind ins Leere gestoßen. Unsere Wissenschaft ist schrecklich geworden, unsere Forschung gefährlich, unsere Erkenntnis tödlich. Es gibt für uns Physiker nur noch die Kapitulation vor der Wirklichkeit. Sie ist uns nicht gewachsen. Sie geht an uns zugrunde. Wir müssen unser Wissen zurücknehmen, und ich habe es zurückgenommen. Es gibt keine andere Lösung, auch für euch nicht.

EINSTEIN: Was wollen Sie damit sagen?

MÖBIUS: Ihr müßt bei mir im Irrenhaus bleiben.

NEWTON: Wir?

MÖBIUS: Ihr beide.

Schweigen.

NEWTON: Möbius! Sie können von uns doch nicht verlangen, daß wir ewig –

MÖBIUS: Ihr besitzt Geheimsender?

EINSTEIN: Na und?

MÖBIUS: Ihr benachrichtigt eure Auftraggeber. Ihr hättet euch geirrt. Ich sei wirklich verrückt.

EINSTEIN: Dann sitzen wir hier lebenslänglich. Gescheiterten Spionen kräht kein Hahn mehr nach.

MÖBIUS: Meine einzige Chance, doch noch unentdeckt zu bleiben. Nur im Irrenhaus sind wir noch frei. Nur im Irrenhaus dürfen wir noch denken. In der Freiheit sind unsere Gedanken Sprengstoff.

NEWTON: Wir sind doch schließlich nicht verrückt.

MÖBIUS: Aber Mörder.

Sie starren ihn verblüfft an.

NEWTON: Ich protestiere!

EINSTEIN: Das hätten Sie nicht sagen dürfen, Möbius!

MÖBIUS: Wer tötet, ist ein Mörder, und wir haben getötet. Jeder von uns hatte einen Auftrag, der ihn in diese Anstalt führte. Jeder von uns tötete seine Krankenschwester für einen bestimmten Zweck. Ihr, um eure geheime Mission nicht zu gefährden, ich, weil Schwester Monika an mich glaubte. Sie hielt mich für ein verkanntes Genie. Sie begriff nicht, daß es heute die Pflicht eines Genies ist, verkannt zu bleiben. Töten ist etwas Schreckliches. Ich habe getötet, damit nicht ein noch schrecklicheres Morden anhebe. Nun seid ihr gekommen. Euch kann ich nicht beseitigen, aber vielleicht überzeugen? Sollen unsere Morde sinnlos werden? Entweder haben wir geopfert oder gemordet. Entweder bleiben wir im Irrenhaus, oder die Welt wird eines. Entweder löschen wir uns im Gedächtnis der Menschen aus, oder die Menschheit erlischt.

Schweigen.

NEWTON: Möbius!

MÖBIUS: Kilton?

NEWTON: Diese Anstalt. Diese schrecklichen Pfleger. Diese bucklige Ärztin!

MÖBIUS: Nun?

EINSTEIN: Man sperrt uns ein wie wilde Tiere!

MÖBIUS: Wir sind wilde Tiere. Man darf uns nicht auf die Menschheit loslassen.

Schweigen.

NEWTON: Gibt es wirklich keinen andern Ausweg?

MÖBIUS: Keinen.

Schweigen.

EINSTEIN: Johann Wilhelm Möbius. Ich bin ein anständiger Mensch. Ich bleibe.

Schweigen.

NEWTON: Ich bleibe auch. Für immer.

Schweigen.

MÖBIUS: Ich danke euch. Um der kleinen Chance willen, die nun die Welt doch noch besitzt, davonzukommen.

Er erhebt sein Glas.

MÖBIUS: Auf unsere Krankenschwestern!

Sie haben sich feierlich erhoben.

NEWTON: Ich trinke auf Dorothea Moser.

DIE BEIDEN ANDERN: Auf Schwester Dorothea!

NEWTON: Dorothea! Ich mußte dich opfern. Ich gab dir den Tod für deine Liebe! Nun will ich mich deiner würdig erweisen.

EINSTEIN: Ich trinke auf Irene Straub.

DIE BEIDEN ANDERN: Auf Schwester Irene!

EINSTEIN: Irene! Ich mußte dich opfern. Dich zu loben und deine Hingabe zu preisen, will ich vernünftig handeln.

MÖBIUS: Ich trinke auf Monika Stettler.

DIE BEIDEN ANDERN: Auf Schwester Monika!

MÖBIUS: Monika! Ich mußte dich opfern. Deine Liebe segne die Freundschaft, die wir drei Physiker in deinem Namen geschlossen haben. Gib uns die Kraft, als Narren das Geheimnis unserer Wissenschaft treu zu bewahren.

Sie trinken, stellen die Gläser auf den Tisch.

NEWTON: Verwandeln wir uns wieder in Verrückte. Geistern wir als Newton daher.

EINSTEIN: Fiedeln wir wieder Kreisler und Beethoven.

MÖBIUS: Lassen wir wieder Salomo erscheinen.

NEWTON: Verrückt, aber weise.

EINSTEIN: Gefangen, aber frei.

MÖBIUS: Physiker, aber unschuldig.

Die drei winken sich zu, gehen auf ihre Zimmer. Der Raum ist leer. Von rechts kommen McArthur und Murillo. Sie tragen nun beide eine schwarze Uniform mit Mütze und Pistolen. Sie räumen den Tisch ab. McArthur fährt den Wagen mit dem Geschirr nach rechts hinaus, Murillo stellt den runden Tisch vor das Fenster rechts, auf ihn die umgekehrten Stühle, wie beim Aufräumen in einer Wirtschaft. Dann geht auch Murillo nach rechts hinaus. Der Raum ist wieder leer. Dann kommt von rechts Fräulein Doktor Mathilde von Zahnd. Wie immer mit weißem Ärztekittel. Stethoskop. Sie schaut sich um. Endlich kommt noch Sievers, ebenfalls in schwarzer Uniform.

OBERPFLEGER: Boß.

FRL. DOKTOR: Sievers, das Bild.

McArthur und Murillo tragen ein großes Porträt in einem schweren goldenen Rahmen herein, einen General darstellend. Sievers hängt das alte Porträt ab und das neue auf.

FRL. DOKTOR: Der General Leonidas von Zahnd ist hier besser aufgehoben als bei den Weibern. Er sieht immer noch großartig aus, der alte Haudegen, trotz seines Basedows. Er liebte Heldentode, und so was hat in diesem Hause ja nun stattgefunden.

Sie betrachtet das Bild ihres Vaters.

FRL. DOKTOR: Dafür kommt der Geheimrat in die Frauenabteilung zu den Millionärinnen. Stellt ihn einstweilen in den Korridor.

McArthur und Murillo tragen das Bild nach rechts hinaus.

FRL. DOKTOR: Ist Generaldirektor Fröben gekommen mit seinen Helden?

OBERPFLEGER: Sie warten im grünen Salon. Soll ich Sekt und Kaviar bereitstellen?

FRL. DOKTOR: Die Koryphäen sind nicht da, um zu schlemmen, sondern um zu arbeiten.

Sie setzt sich aufs Sofa.

FRL. DOKTOR: Holen Sie nun Möbius, Sievers.

OBERPFLEGER: Zu Befehl, Boß.

Er geht zu Zimmer Nummer 1, öffnet die Türe.

OBERPFLEGER: Möbius, rauskommen!

Möbius erscheint. Wie verklärt.

MÖBIUS: Eine andächtige Nacht. Tiefblau und fromm. Die Nacht des mächtigen Königs. Sein weißer Schatten löst sich von der Wand. Seine Augen leuchten.

Schweigen.

FRL. DOKTOR: Möbius. Auf Anordnung des Staatsanwaltes darf ich nur in Anwesenheit eines Wärters mit Ihnen reden.

MÖBIUS: Verstehe, Fräulein Doktor.

FRL. DOKTOR: Was ich zu sagen habe, geht auch Ihre Kollegen an.

McArthur und Murillo sind zurückgekommen.

FRL. DOKTOR: McArthur und Murillo. Holt die beiden andern.

McArthur und Murillo öffnen die Türen Nummer 2 und 3.

MURILLO UND MCARTHUR: Rauskommen!

Newton und Einstein kommen. Auch verklärt.

NEWTON: Eine geheimnisvolle Nacht. Unendlich und erhaben. Durch das Gitter meines Fensters funkeln Jupiter und Saturn, offenbaren die Gesetze des Alls.

EINSTEIN: Eine glückliche Nacht. Tröstlich und gut. Die Rätsel schweigen, die Fragen sind verstummt. Ich möchte geigen und nie mehr enden.

FRL. DOKTOR: Alec Jasper Kilton und Joseph Eisler, ich habe mit euch zu reden.

Die beiden starren sie verwundert an.

NEWTON: Sie – wissen?

Die beiden wollen ihre Revolver ziehen, werden aber von Murillo und McArthur entwaffnet.

FRL. DOKTOR: Ihr Gespräch, meine Herren, ist abgehört worden; ich hatte schon längst Verdacht geschöpft. Holt Kiltons und Eislers Geheimsender, McArthur und Murillo.

OBERPFLEGER: Die Hände hinter den Nacken, ihr drei!

Möbius, Einstein und Newton legen die Hände hinter den Nacken,
McArthur und Murillo gehen in Zimmer 2 und 3.

NEWTON: Drollig!

Er lacht. Allein. Gespenstig.

EINSTEIN: Ich weiß nicht –

NEWTON: Ulkig!

Lacht wieder. Verstummt. McArthur und Murillo kommen mit
den Geheimsendern zurück.

OBERPFLEGER: Hände runter!

Die Physiker gehorchen. Schweigen.

FRL. DOKTOR: Die Scheinwerfer, Sievers.

OBERPFLEGER: O.K., Boß.

Er hebt die Hand. Von außen tauchen Scheinwerfer die Physiker
in ein blendendes Licht. Gleichzeitig hat Sievers innen das Licht
ausgelöscht.

FRL. DOKTOR: Die Villa ist von Wärtern umstellt. Ein Flucht-
versuch ist sinnlos.

Zu den Pflegern.

FRL. DOKTOR: Raus, ihr drei!

Die drei Pfleger verlassen den Raum, tragen die Waffen und Ge-
räte hinaus. Schweigen.

FRL. DOKTOR: Nur ihr sollt mein Geheimnis wissen. Ihr allein
von den Menschen. Weil es keine Rolle mehr spielt, wenn ihr
es wißt.

Schweigen.

FRL. DOKTOR *feierlich:* Auch mir ist der goldene König Salomo
erschienen.

Die drei starren sie verblüfft an.

MÖBIUS: Salomo?

FRL. DOKTOR: All die Jahre.

Newton lacht leise auf.

FRL. DOKTOR *unbeirrbar:* Zuerst in meinem Arbeitszimmer.
An einem Sommerabend. Draußen schien noch die Sonne, und

im Park hämmerte ein Specht, als auf einmal der goldene König heranschwebte. Wie ein gewaltiger Engel.

EINSTEIN: Sie ist wahnsinnig geworden.

FRL. DOKTOR: Sein Blick ruhte auf mir. Seine Lippen öffneten sich. Er begann mit seiner Magd zu reden. Er war von den Toten auferstanden, er wollte die Macht wieder übernehmen, die ihm einst hienieden gehörte, er hatte seine Weisheit enthüllt, damit in seinem Namen Möbius auf Erden herrsche.

EINSTEIN: Sie muß interniert werden. Sie gehört in ein Irrenhaus.

FRL. DOKTOR: Aber Möbius verriet ihn. Er versuchte zu verschweigen, was nicht verschwiegen werden konnte. Denn was ihm offenbart worden war, ist kein Geheimnis. Weil es denkbar ist. Alles Denkbare wird einmal gedacht. Jetzt oder in der Zukunft. Was Salomo gefunden hatte, kann einmal auch ein anderer finden, es sollte die Tat des goldenen Königs bleiben, das Mittel zu seiner heiligen Weltherrschaft, und so suchte er mich auf, seine unwürdige Dienerin.

EINSTEIN *eindringlich:* Sie sind verrückt. Hören Sie, Sie sind verrückt.

FRL. DOKTOR: Er befahl mir, Möbius abzusetzen und an seiner Stelle zu herrschen. Ich gehorchte dem Befehl. Ich war Ärztin und Möbius mein Patient. Ich konnte mit ihm tun, was ich wollte. Ich betäubte ihn, jahrelang, immer wieder, und photokopierte die Aufzeichnungen des goldenen Königs, bis ich auch die letzten Seiten besaß.

NEWTON: Sie sind übergeschnappt! Vollkommen! Begreifen Sie doch endlich! [*leise*] Wir alle sind übergeschnappt.

FRL. DOKTOR: Ich ging behutsam vor. Ich beutete zuerst nur wenige Erfindungen aus, das nötige Kapital anzusammeln. Dann gründete ich Riesenwerke, erstand eine Fabrik um die andere und baute einen mächtigen Trust auf. Ich werde das System aller möglichen Erfindungen auswerten, meine Herren.

MÖBIUS *eindringlich:* Fräulein Doktor Mathilde von Zahnd: Sie sind krank. Salomo ist nicht wirklich. Er ist mir nie erschienen.

FRL. DOKTOR: Sie lügen.

MÖBIUS: Ich habe ihn nur erfunden, um meine Entdeckungen geheimzuhalten.

FRL. DOKTOR: Sie verleugnen ihn.

MÖBIUS: Nehmen Sie Vernunft an. Sehen Sie doch ein, daß Sie verrückt sind.

FRL. DOKTOR: Ebensowenig wie Sie.

MÖBIUS: Dann muß ich der Welt die Wahrheit entgegenschreien. Sie beuteten mich all die Jahre aus. Schamlos. Sogar meine arme Frau ließen Sie noch zahlen.

FRL. DOKTOR: Sie sind machtlos, Möbius. Auch wenn Ihre Stimme in die Welt hinausdränge, würde man Ihnen nicht glauben. Denn für die Öffentlichkeit sind Sie nichts anderes als ein gefährlicher Verrückter. Durch Ihren Mord.

Die drei ahnen die Wahrheit.

MÖBIUS: Monika?

EINSTEIN: Irene?

NEWTON: Dorothea?

FRL. DOKTOR: Ich nahm nur eine Gelegenheit wahr. Das Wissen Salomos mußte gesichert und euer Verrat bestraft werden. Ich mußte euch unschädlich machen. Durch eure Morde. Ich hetzte die drei Krankenschwestern auf euch. Mit eurem Handeln konnte ich rechnen. Ihr waret bestimmbar wie Automaten und habt getötet wie Henker.

Möbius will sich auf sie stürzen, Einstein hält ihn zurück.

FRL. DOKTOR: Es ist sinnlos, Möbius, sich auf mich zu stürzen. So wie es sinnlos war, Manuskripte zu verbrennen, die ich schon besaß.

Möbius wendet sich ab.

FRL. DOKTOR: Was euch umgibt, sind nicht mehr die Mauern einer Anstalt. Dieses Haus ist die Schatzkammer meines Trusts.

Es umschließt drei Physiker, die allein außer mir die Wahrheit wissen. Was euch in Bann hält, sind keine Irrenwärter: Sievers ist der Chef meiner Werkpolizei. Ihr seid in euer eigenes Gefängnis geflüchtet. Salomo hat durch euch gedacht, durch euch gehandelt, und nun vernichtet er euch. Durch mich.

Schweigen.

FRL. DOKTOR: Ich aber übernehme seine Macht. Ich fürchte mich nicht. Meine Anstalt ist voll von verrückten Verwandten, mit Schmuck behängt und Orden. Ich bin die letzte Normale meiner Familie. Das Ende. Unfruchtbar, nur noch zur Nächstenliebe geeignet. Da erbarmte sich Salomo meiner. Er, der tausend Weiber besitzt, wählte mich aus. Nun werde ich mächtiger sein als meine Väter. Mein Trust wird herrschen, die Länder, die Kontinente erobern, das Sonnensystem ausbeuten, nach dem Andromedanebel fahren. Die Rechnung ist aufgegangen. Nicht zugunsten der Welt, aber zugunsten einer alten, buckligen Jungfrau.

Sie läutet mit einer kleinen Glocke. Von rechts kommt der Oberpfleger.

OBERPFLEGER: Boß?

FRL. DOKTOR: Gehen wir, Sievers. Der Verwaltungsrat wartet. Das Weltunternehmen startet, die Produktion rollt an.

Sie geht mit dem Oberpfleger nach rechts hinaus. Die drei Physiker sind allein. Stille. Alles ist ausgespielt. Schweigen.

NEWTON: Es ist aus.

Er setzt sich aufs Sofa.

EINSTEIN: Die Welt ist in die Hände einer verrückten Irrenärztin gefallen.

Er setzt sich zu Newton.

MÖBIUS: Was einmal gedacht wurde, kann nicht mehr zurückgenommen werden.

Möbius setzt sich auf den Sessel links vom Sofa. Schweigen. Sie starren vor sich hin. Dann reden sie ganz ruhig, selbstverständlich, stellen sich einfach dem Publikum vor.

NEWTON: Ich bin Newton. Sir Isaak Newton. Geboren am 4. Januar 1643 in Woolsthorpe bei Grantham. Ich bin Präsident der Royal Society. Aber es braucht sich deshalb keiner zu erheben. Ich schrieb: Die mathematischen Grundlagen der Naturwissenschaft. Ich sagte: Hypotheses non fingo. In der experimentellen Optik, in der theoretischen Mechanik und in der höheren Mathematik sind meine Leistungen nicht unwichtig, aber die Frage nach dem Wesen der Schwerkraft mußte ich offenlassen. Ich schrieb auch theologische Bücher. Bemerkungen zum Propheten Daniel und zur Johannes-Apokalypse. Ich bin Newton. Sir Isaak Newton. Ich bin Präsident der Royal Society.

Er erhebt sich und geht auf sein Zimmer.

EINSTEIN: Ich bin Einstein. Professor Albert Einstein. Geboren am 14. März 1879 in Ulm. 1902 wurde ich Experte am Eidgenössischen Patentamt in Bern. Dort stellte ich meine spezielle Relativitätstheorie auf, die die Physik veränderte. Dann wurde ich Mitglied der Preußischen Akademie der Wissenschaften. Später wurde ich Emigrant. Weil ich ein Jude bin. Von mir stammt die Formel $E = mc^2$, der Schlüssel zur Umwandlung von Materie in Energie. Ich liebe die Menschen und liebe meine Geige, aber auf meine Empfehlung hin baute man die Atombombe. Ich bin Einstein. Professor Albert Einstein. Geboren am 14. März 1879 in Ulm.

Er erhebt sich und geht in sein Zimmer. Dann hört man ihn geigen. Kreisler. Liebesleid.

MÖBIUS: Ich bin Salomo. Ich bin der arme König Salomo. Einst war ich unermeßlich reich, weise und gottesfürchtig. Ob meiner Macht erzitterten die Gewaltigen. Ich war ein Fürst des Friedens und der Gerechtigkeit. Aber meine Weisheit zerstörte meine Gottesfurcht, und als ich Gott nicht mehr fürchtete, zerstörte meine Weisheit meinen Reichtum. Nun sind die Städte tot, über die ich regierte, mein Reich leer, das mir anvertraut worden war, eine blauschimmernde Wüste, und irgendwo um einen kleinen, gelben, namenlosen Stern kreist, sinnlos, immerzu, die radioaktive Erde. Ich bin Salomo, ich bin Salomo, ich bin der arme König Salomo.

Er geht auf sein Zimmer. Nun ist der Salon leer. Nur noch die Geige Einsteins ist zu hören.

ENDE

1

Ich gehe nicht von einer These, sondern von einer Geschichte aus.

2

Geht man von einer Geschichte aus, muß sie zu Ende gedacht werden.

3

Eine Geschichte ist dann zu Ende gedacht, wenn sie ihre schlimmstmögliche Wendung genommen hat.

4

Die schlimmstmögliche Wendung ist nicht voraussehbar. Sie tritt durch Zufall ein.

5

Die Kunst des Dramatikers besteht darin, in einer Handlung den Zufall möglichst wirksam einzusetzen.

6

Träger einer dramatischen Handlung sind Menschen.

7

Der Zufall in einer dramatischen Handlung besteht darin, wann und wo wer zufällig wem begegnet.

8

Je planmäßiger die Menschen vorgehen, desto wirksamer vermag sie der Zufall zu treffen.

9

Planmäßig vorgehende Menschen wollen ein bestimmtes Ziel erreichen. Der Zufall trifft sie dann am schlimmsten, wenn sie durch ihn das Gegenteil ihres Ziels erreichen: Das, was sie befürchteten, was sie zu vermeiden suchten [z. B. Oedipus].

10

Eine solche Geschichte ist zwar grotesk, aber nicht absurd [sinnwidrig].

11

Sie ist paradox.

12

Ebensowenig wie die Logiker können die Dramatiker das Paradoxe vermeiden.

13

Ebensowenig wie die Logiker können die Physiker das Paradoxe vermeiden.

14

Ein Drama über die Physiker muß paradox sein.

15

Es kann nicht den Inhalt der Physik zum Ziele haben, sondern nur ihre Auswirkung.

16

Der Inhalt der Physik geht die Physiker an, die Auswirkung alle Menschen.

17

Was alle angeht, können nur alle lösen.

18

Jeder Versuch eines Einzelnen, für sich zu lösen, was alle angeht, muß scheitern.

19

Im Paradoxen erscheint die Wirklichkeit.

20

Wer dem Paradoxen gegenübersteht, setzt sich der Wirklichkeit aus.

21

Die Dramatik kann den Zuschauer überlisten, sich der Wirklichkeit auszusetzen, aber nicht zwingen, ihr standzuhalten oder sie gar zu bewältigen.

Dürrenmatt

VERLAG DER ARCHE